CONTOS DE FADAS

PERRAULT

CamelotEditora

CONTOS DE FADAS
PERRAULT

Camelot
EDITORA

CONHEÇA NOSSO LIVROS
ACESSANDO AQUI!

Copyright desta tradução © IBC - Instituto Brasileiro De Cultura, 2023

Título original: Contes de Perrault
Reservados todos os direitos desta tradução e produção, pela lei 9.610 de 19.2.1998.

2ª Impressão 2024

Presidente: Paulo Roberto Houch
MTB 0083982/SP

Coordenação Editorial: Priscilla Sipans
Coordenação de Arte: Rubens Martim
Diagramação: Renato Darim Parisotto
Capa: Rubens Martim
Revisão: Jane Rajão
Apoio de revisão: Leonan Mariano
Tradução: Regina Regis Junqueira
Introdução: P. J. Stahl
Ilustrações: Gustave Doré

Vendas: Tel.: (11) 3393-7727 (comercial2@editoraonline.com.br)

Foi feito o depósito legal.
Impresso na China

Dados Internacionais de Catalogação na Publicação (CIP) de acordo com ISBD	
P454c	Perrault, Charles Contos de Fadas Perrault / Charles Perrault. - Barueri : Camelot Editora, 2023. 144 p. ; 15,1cm x 23cm. ISBN: 978-65-87817-74-3 1. Literatura infantojuvenil. 2. Contos de Fadas. I. Título.
2023-1132	CDD 028.5 CDU 82-93
Elaborado por Vagner Rodolfo da Silva - CRB-8/9410	

IBC — Instituto Brasileiro de Cultura LTDA
CNPJ 04.207.648/0001-94
Avenida Juruá, 762 — Alphaville Industrial
CEP. 06455-010 — Barueri/SP
www.editoraonline.com.br

SUMÁRIO

DOS CONTOS DE PERRAULT
E DAS ILUSTRAÇÕES DE GUSTAVE DORÉ
CONTIDOS NESTA EDIÇÃO

N.B. Este índice mostra, com referência às ilustrações, a página e o trecho do texto que as inspiraram. Como, muitas vezes, uma única página fornece até cinco ou seis temas para o ilustrador, a disposição dos desenhos no livro nem sempre pode ser feita de acordo com o texto. Nós nos limitamos, pois, a colocar os desenhos em sua sequência natural, de acordo com o desenrolar de cada história. Não há como hesitar entre deixar toda liberdade à inspiração do artista e o pequeno inconveniente de nem sempre apresentar na mesma página o desenho e o trecho da história que lhe corresponde. Tratando-se de contos sempre tão curtos e, além do mais, de figuras tão universalmente conhecidas, qualquer legenda, qualquer palavra colocada sob as gravuras teria sido supérflua, prejudicando o arranjo geral da edição.

A RESPEITO DOS CONTOS DE FADAS 9
Introdução por P. J. Stahl

CONTOS DE FADAS
CHAPEUZINHO VERMELHO 32
O PEQUENO POLEGAR 37
A BELA ADORMECIDA DO BOSQUE 51
CINDERELA OU O SAPATINHO DE CRISTAL 69
O MESTRE GATO OU O GATO DE BOTAS 82
RIQUET, O TOPETUDO 93
PELE-DE-ASNO 101
AS FADAS 115
BARBA-AZUL 120

APÊNDICE
A VIDA E A OBRA DE CHARLES PERRAULT 129
DESEJOS RIDÍCULOS 141
NOTA DO EDITOR FRANCÊS 143

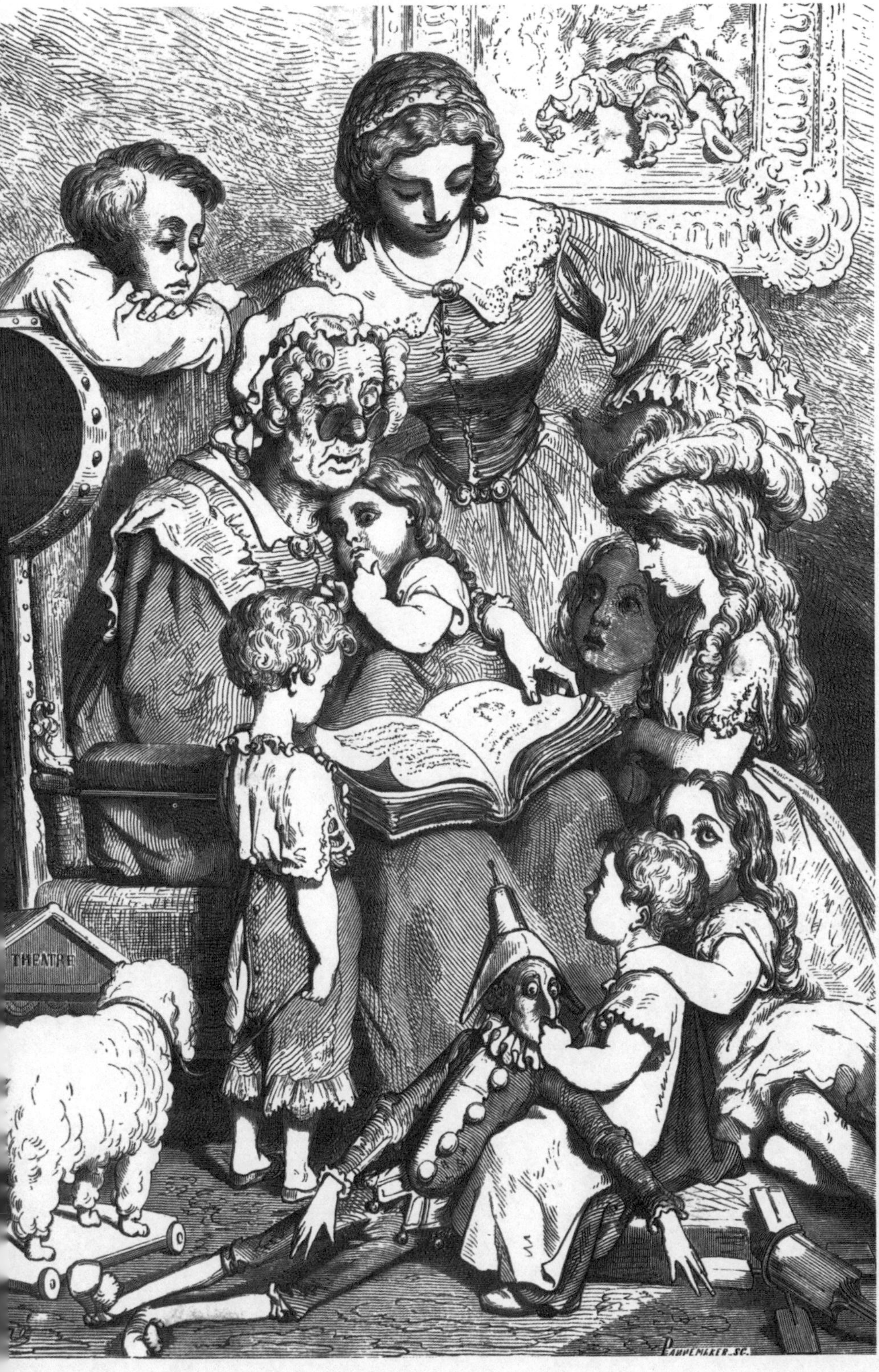
THEATRE

A RESPEITO DOS CONTOS DE FADAS

Que me permitam, a propósito de contos, narrar aqui uma pequena história.

Meu amigo Jacques entrou um dia numa padaria para comprar um pãozinho que chamara sua atenção. Pretendia levar o pão para um menino que havia perdido o apetite e só concordava em comer alguma coisa quando o distraíam. Pareceu a meu amigo que um pão tão bonito deveria apetecer até mesmo a um enfermo.

Enquanto esperava o troco, entrou na padaria um meninozinho de sete ou oito anos, pobremente vestido mas muito limpo.

— Dona — disse ele à padeira — Mamãe me mandou buscar um pão...

A padeira subiu ao balcão (o caso se passou numa cidadezinha do interior) e tirou da vitrina das bisnagas de quatro libras o melhor pão que encontrou ali, e o depositou nos braços do meninozinho.

Meu amigo Jacques reparou então na figura franzina e enfezada do pequeno comprador, que contrastava com o aspecto viçoso e rechonchudo do enorme pão, cujo peso ele mal parecia aguentar.

— Você trouxe o dinheiro? — indagou a padeira.

Os olhos do menino se anuviaram.

— Não, senhora — respondeu, apertando a bisnaga contra o peito — Mamãe disse que vem falar com a senhora amanhã.

— Está bem — disse a padeira bondosamente — pode levar o pão, meu filho.

— Obrigado, dona — falou o meninozinho.

Meu amigo Jacques recebeu o seu troco, meteu sua compra no bolso e se preparava para sair quando notou, parado às suas costas, o menino do pão, que ele julgava já estar longe.

— Que é que você está fazendo aí? — perguntou a padeira ao menino, que ela também imaginava já ter ido embora. — Não ficou satisfeito com o seu pão?

— Oh, fiquei sim — falou o garotinho.

— Pois então vá levá-lo para a sua mamãe, meu pequeno. Se você demorar, ela vai pensar que ficou brincando pelo caminho e vai ralhar com você.

O menino não pareceu ter ouvido. Alguma coisa parecia atrair toda a sua atenção. A padeira aproximou-se e deu-lhe um tapinha carinhoso no rosto.

— Em que é que você está pensando, em vez de ir embora? — falou ela.

— Que é isso que está cantando aqui? — perguntou o meninozinho.

— Ninguém está cantando aqui — respondeu a padeira.

— Está sim — insistiu o menino. — Ouça: cuic, cuic, cuic, cuic...

A padeira e o meu amigo Jacques apuraram o ouvido, mas nada ouviram a não ser o refrão de alguns grilos, hóspedes costumeiros das casas onde é feito o pão.

— Será um passarinho — indagou o garoto — ou é o pão que canta quando está assando, como as maçãs?

— Não é nada disso, meu tolinho — falou a padeira.

— São os grilos. Eles cantam onde está sendo feito o pão porque o forno acaba de ser aceso, e a vista das labaredas os deixa contentes.

— Os grilos! — exclamou o menininho. — Eles são o que a gente costuma chamar de cri-cri?

— Isso mesmo — respondeu pacientemente a padeira.

O rosto do menino se iluminou.

— Dona —, falou ele, corando diante da ousadia de seu pedido — eu ia ficar muito contente se a senhora me desse um cricri...

— Um cri-cri? — sorriu a padeira. — Que é que você vai fazer com um cri-cri, benzinho? Está bem, se eu puder dar a você todos os que andam aqui pela casa, farei isso agora.

— Oh, basta que me dê só um, se a senhora puder! — falou o menino juntando as mãozinhas pálidas acima do seu enorme pão. — Ouvi dizer que os cri-cris trazem felicidade para as casas. Quem sabe se nossa casa tivesse um, a mamãe, que tem tanta tristeza, nunca mais chorasse...

Meu amigo Jacques olhou para a padeira. Era uma bela mulher, de rosadas faces. Ela enxugou os olhos com a ponta do avental, e se o meu amigo Jacques também estivesse usando um, teria feito o mesmo.

— E por que a sua pobre mamãe chora tanto? — indagou o meu amigo Jacques, que não pôde evitar de se meter na conversa.

— Por causa das contas, senhor — falou o garotinho. — Meu papai morreu, e por mais que a mamãe trabalhe, nós nunca conseguimos pagar todas as contas.

Meu amigo Jacques levantou em seus braços o menino, e junto com ele o pão — e creio que abraçou todos os dois.

Enquanto isso a padeira, que não tinha coragem de pegar ela própria os grilos, desceu até a sala de fazer pão e pediu ao marido que recolhesse uns quatro, os quais foram colocados numa caixa com alguns buracos na tampa, para que eles pudessem respirar; em seguida entregou a caixa ao meninozinho, que foi embora todo contente.

Quando ele partiu, a padeira e meu amigo Jacques apertaram-se as mãos calorosamente.

— Pobre criança! — falaram os dois juntos.

A padeira apanhou então o seu livro de contas, abriu-o na página onde estavam anotadas as dívidas da mãe do menininho e traçou um grande risco atravessando a página, porque as contas eram muitas, escrevendo embaixo: *pago*.

Enquanto isso o meu amigo Jacques havia colocado sobre uma folha de papel, para não perder tempo, todo o dinheiro que trazia nos bolsos — que, por sorte, era bastante naquele dia — e pediu à padeira que o enviasse o mais rápido possível à mamãe do menino dos cri-cris, junto com a nota de quitação de suas contas e um bilhete dizendo que ela possuía um filho que um dia seria a sua alegria e o seu consolo. Entregaram tudo a um padeirinho de longas pernas, recomendando-lhe que se desincumbisse com toda a presteza da missão. O menino, com o seu enorme pão, seus quatro grilos e suas curtas pernas, não pôde andar tão depressa quanto o padeirinho; de forma que, ao chegar em casa encontrou a sua mamãe, pela primeira vez em muito tempo, com os olhos afastados do trabalho e um sorriso de paz e felicidade em seus lábios.

Ele acreditou que foi a chegada dos seus quatro bichinhos escuros que tinha feito o milagre, e na minha opinião ele não estava errado. Será que sem os cri-cris e o seu bom coração teria ocorrido aquela feliz mudança no humilde destino de sua mãe?

Por que esta historieta no início de um prefácio dos contos de Perrault? — hão de me perguntar. — Para que servirá ela? Servirá para responder por um fato — por insignificante que seja — a essa categoria de espíritos positivos demais que pretendem hoje, em nome da razão, banir o maravilhoso do repertório da infância.

Nessa história não há nem a sombra de uma fada ou de um feiticeiro. É uma história verdadeira nos mínimos detalhes; e se, com a sua verdade, ela conseguiu provar que para a infância a ilusão persiste, graças a Deus, em toda parte e que para ela o maravilhoso se encontra até nas realidades da vida quotidiana — então a história aqui está no lugar certo.

Essa inocente superstição relativa a seres e coisas que trazem felicidade, a insetos, a animais, a pássaros de bom presságio — cri-cris, andorinhas e outros — é encontrada em todos os lugares e em todos os países. Vinte obras-primas, escritas em todas as línguas, têm-na consagrado. Poder-se-á dizer que não se trata de uma outra forma de magia? Sem dúvida que não. O grilo da lareira, esse cri-cri protetor e misterioso, esse cri-cri gênio, eu o considero uma fada. E por causa disso devemos então destruí-lo, devemos matá-lo, devemos esmagá-lo no coração dos simples e das crianças? E quando essa amorosa mentira, esse amigo da casa não existir mais, que proveito alguém terá com isso? É o que pergunto. Se o grilo está sobrando, quantas ilusões infantis ou populares — pois é tudo uma coisa só — será necessário banir deste mundo! Desde a crença no velho e bondoso Papai Noel, que desce diligentemente todo inverno, à mesma hora, pela chaminé de todas as casas para encher de brinquedos os sapatos e os tamancos das crianças adormecidas, até a troca piedosa ou ingênua de provas de afeição!

Vós sois positivos. Por que então esse anel no dedo? Por que escondeis sob a camisa esse medalhão que encerra... o quê? Um número, uma inicial, uma data, uma mecha de cabelos, uma flor, uma folha de erva, um símbolo, uma relíquia, um talismã, uma superstição também? Se quereis ser consequentes com vossas ideias, deixai essas coisas para os outros.

Mas até onde chegar, então? Na verdade, as pessoas que temem o maravilhoso devem sentir-se bastante envergonhadas, pois, afinal, a vida e as coisas estão inteiramente imbuídas dele. Será que tudo o que existe de bom no mundo não tem, de um lado, um pouco de milagre e de outro um pouco de superstição? Será preciso ocultar também o prodígio do amor, de todos os belos e nobres amores, os quais têm todos os seus heróis, os seus mártires e, em consequência, suas lendas — lendas verdadeiras e por isso mesmo, por seu próprio heroísmo, fabulosas?

Quereis suprimir as fadas, a primeira poesia da primeira infância. Não é o bastante: que se suprima a poesia toda, a filosofia, que se suprima até a religião, a História, a ciência — pois, na verdade, o maravilhoso está à volta, se não no fundo, de tudo isso. Perrault está sobrando! Mas então Homero também está — sobrando! Virgílio, Dante, Ariosto, Tasso, Milton, Goethe e uma centena de outros — os próprios livros profanos e os livros santos estão sobrando! E de que maneira, pois — posso saber? — serão educados os vossos infortunados filhos? Não lhes serão ensinados nem o grego, nem o latim, nem o alemão, nem o inglês; estarão também interditadas a eles as fábulas, pois afinal em Esopo, em Fedro, em La Fontaine, em Lessing, em Florian — esse outro clássico da juventude — vê-se que os animais falam; e isso poderia parecer contrário à Natureza a pessoas que, no entanto, não deveriam espantar-se com o fato.

Nada, absolutamente nada podereis revelar às crianças, se pretendeis ocultar-lhes o maravilhoso, o inexplicado, o inexplicável, o impossível, que são encontrados no real tanto quanto no imaginário. A História é cheia de inverossimilhanças, a ciência, de prodígios; a realidade é fértil em milagres, e nem todos os seus milagres são bem-vindos, infelizmente! O real é um abismo recheado com o desconhecido. Perguntai aos verdadeiros sábios. A ciência explica o relógio, mas ainda não conseguiu explicar o relojoeiro. A derrota da razão está no final, no topo de todo o saber — e vós mesmo, homem positivo, vós sois um mistério.

Oh, devolvei, devolvamos os contos de fadas para as crianças, se, mais exigentes do que La Fontaine, não formos bastante puros para voltarmos nós próprios a eles.

Se esses contos não fazem nenhum bem, pelo menos não fazem nenhum mal. Ora, aí está uma qualidade — a sua inocência — até agora incontestada.

Uma de minhas amigas, uma jovem mãe, impensadamente doutrinada pelo marido, que acreditava — ele próprio — nas magias da Bolsa, na pior das fadas, a Fada do Azar, a Fada do Jogo, e que, no entanto, se considerava um espírito forte, essa jovem mãe, dizia eu, havia resolvido dar ao seu filho o que o seu marido chamava de uma educação exclusivamente racional.

Numa visita que lhe fiz no dia de Ano Novo, ela me mostrou os presentes que os avós e os amigos da família tinham mandado para o seu filho. Entre eles encontrava-se um exemplar dos *Contos de Fadas* de Perrault.

— Quanto a este — disse-me ela com certa fatuidade — eu guardarei no meu armário e de lá não sairá.

Eu ia defender a causa de Perrault quando sobreveio um incidente que falou em seu favor melhor do que eu poderia ter feito, pois ele ganhou a causa.

Ouvimos de repente um baque surdo, como se de uma queda, no cômodo vizinho, e em seguida gritos. A mãe, atenta, reconheceu imediatamente a voz do filho. Ela empalideceu e se precipitou para a porta. O menino se debatia nos braços da ama, gritando: "Mamãe! Mamãe!". Ela o tomou da ama e o levou dali, com um calombo na testa e, naturalmente, aos berros.

A gravidade era pouca, o calombo era pequeno.

A mãe, um pouco mais tranquila, pôs o filho nos joelhos e beijou e tornou a beijar a sua testa dolorida, dizendo:

— Já passou, Jules não tem mais o galo.

As lágrimas do menino secaram e o sorriso reapareceu em sua boca rosada.

O galo não tinha desaparecido, no entanto o menino estava curado. A maravilhosa compressa dos beijos maternos, esse remédio mágico, tinha agido rapidamente, e quando se pensou em usar compressas verdadeiras e água fria, o valente menininho não quis ouvir falar no assunto.

— Jujules já sarou — repetia ele em sua fé ingênua. — Mamãe tirou o seu galo.

— Pois bem! — falei eu à mãe. — Tire dessa cabecinha aí a fé nos milagres, e você vai ver se consegue curar os seus galos com beijos!

Essa sólida confiança do menino na soberana virtude das carícias maternas — não há nada de positivo nisso, evidentemente; trata-se da mais legítima ilusão, da fé no bálsamo dos magos. Ah, deixemos a nossos amados filhinhos a sua crença nessas doces bruxarias! Será prejudicial a uma criança, será prejudicial mesmo a um homem, acreditar que um beijo cura tudo — e que, além do mais, isso é falso? O poder do amor não vale mais do que o do médico ou do filósofo, em todas as idades da vida? Quando é que a pessoa tem mais necessidade de se sentir amada, senão quando a alma e o corpo estão em sofrimento?

Os *Contos* de Perrault foram entregues ao pequeno Jules. Ele olhou as figuras, quis saber a história delas. Dois ou três contos foram lidos para ele: o menino já não tinha mais o galo.

— Você gosta mais deste livro do que de uma cataplasma? — perguntei-lhe.

— Gosto — respondeu ele com toda a seriedade possível.

Na verdade, não é certo que tanto para a criança como para o adulto a ilusão precede de alguns instantes a decepção? Se quereis vos precaver contra os supostos malefícios que possam trazer à imaginação das crianças as fantasias de Perrault, ficai tranquilos. A criança só guarda, só absorve, nesse campo, o que lhe convém. Os pequenos são como os grandes — em cada coisa só veem o que lhes agrada, pouco se importando com o resto.

Citarei, em apoio dessa afirmação, uma história que já contei em outro lugar[1] e que só voltei a escrever agora, unicamente para este prefácio.

O BOLO DE CHAPEUZINHO VERMELHO

Eu aceitei certa ocasião, em 184... (foi há muito tempo), a espinhosa missão de distrair durante uma meia hora uma criaturinha que desde logo se mostrou bastante difícil de abordar. Tratava-se de desviar sua atenção, durante esses longos minutos, de um importante evento que estava ocorrendo em outra parte de sua casa e que se pretendia ocultar dela.

A criaturinha, já com quatro anos de idade, não era daquelas que tomam facilmente gato por lebre, e sua expressão séria e meditativa dizia claramente que, por muito que ela fosse uma filha de Eva, frioleiras não eram do seu agrado.

---

1 *Histoire d'un homme erhumé*, Ed. Hetzel.

Decidi, pois, para cumprir minha missão de maneira a satisfazer a família que me dera a honra de confiá-la a mim, e receando — com justa razão — não conseguir tirar de mim mesmo nada que fosse digno de uma ouvinte tão refinada, apanhei na biblioteca[2] do avô de Thècle — pois era esse o nome da senhorita com a qual eu havia aceitado aquele delicado *tête-à-tête* — os Contos de Perrault e abri o livro na página mais trágica de todas: naquela onde começava a emocionante história de *Chapeuzinho Vermelho*.

A todos os seus méritos, o conto de Perrault aliava ainda, para sorte de Thècle, o da novidade. Essa terrível história ainda não lhe tinha sido contada. Sem ela, a educação de uma menina de quatro anos não estaria completa.

Certo do efeito que causaria, comecei:

"ERA UMA VEZ UMA MENINA QUE VIVIA NUMA ALDEIA... etc. etc."

Devo render justiça ao meu auditório: enquanto durou minha leitura — e tive o cuidado de falar com voz vagarosa e penetrante, condizente com um assunto tão grave — fui alvo da mais benevolente atenção. Os cotovelos apoiados nos braços da cadeira, o pescoço espichado para mim, o olhar fixo, a senhorita Thècle demonstrou, por sua imobilidade, o profundo interesse que despertava nela a palpitante história. Seus olhos, seus lindos olhos infantis, muito abertos, não se afastavam de meus lábios, e quando cheguei ao final não duvidei de que todas as peripécias do terrível drama que acabava de se desenrolar tivessem calado fundo em seus sentidos atentos.

No começo da história sua boca se mostrava levemente contraída, em sinal de reserva, mas pouco a pouco foi-se abrindo, e no final, à medida que crescia o interesse, escancarou-se tão francamente que ela se esqueceu de fechá-la. Já havia cinco minutos, pelo menos, que tinham ressoado em seus ouvidos estas aterradoras palavras:

"O MALVADO LOBO LANÇOU-SE SOBRE CHAPEUZINHO VERMELHO E A COMEU", com as quais termina a deplorável aven-

---

2 Biblioteca das mais célebres que já existiram. Era a de Charles Nodier. O nome do autor do *Chien de Brisquet*, o único conto francês contemporâneo que poderia rivalizar com os *Contos* de Perrault, tem todo o direito de ser mencionado aqui. Se Charles Nodier já não tivesse deixado este mundo, seria a ele, e a mais ninguém, que teria pertencido a honra de escrever o prefácio desta bela edição.

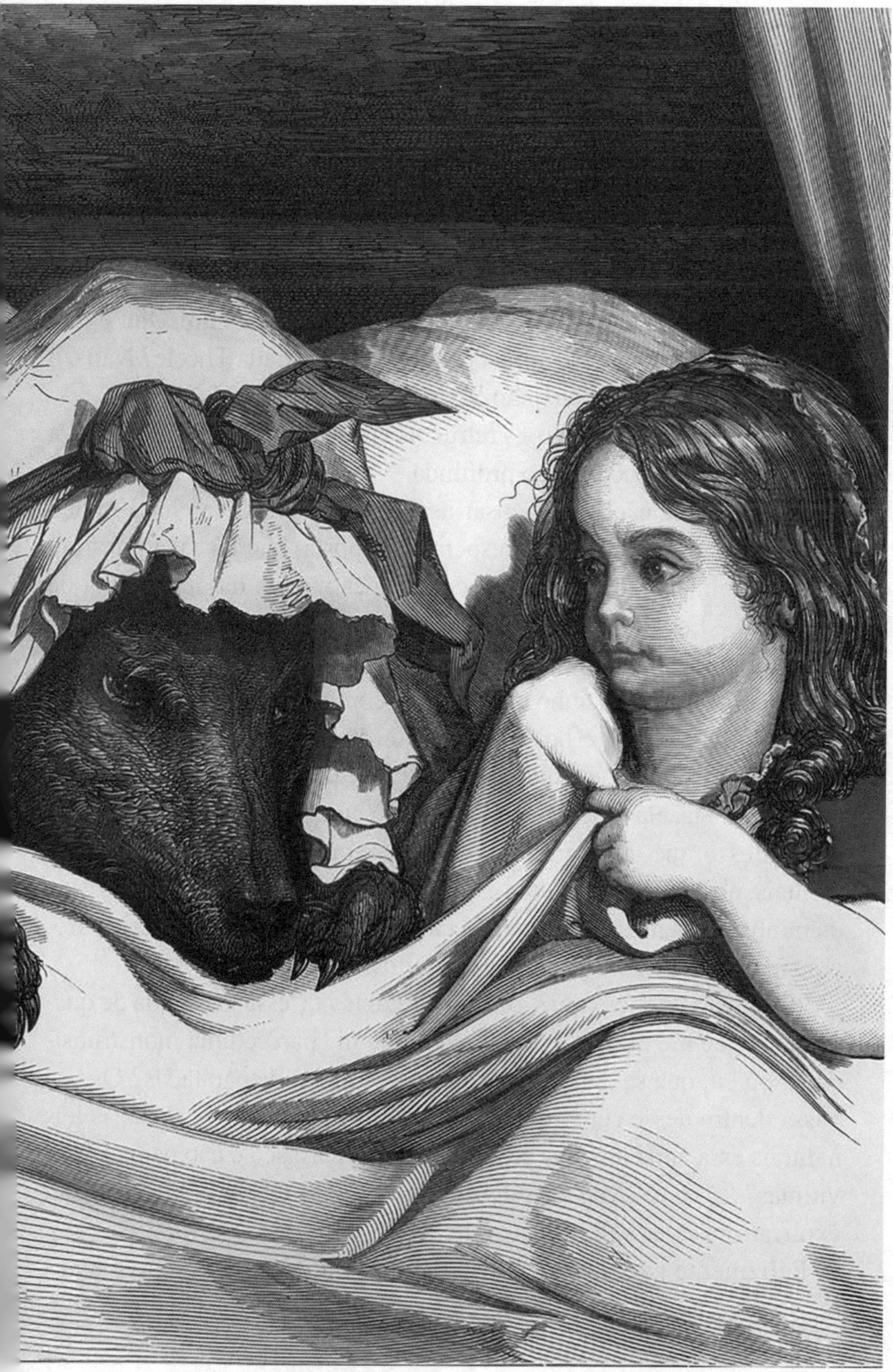

tura da menina que confiava demais — e Thècle parecia esperar ainda alguma coisa.

— Muito bem — disse eu, intrigado com aquele silêncio prolongado, que não era do seu feitio, e um pouco inquieto com o efeito que tinha causado a minha leitura. — Muito bem, Thècle, que é que você achou desse conto? Não é uma boa e divertida história?

— É sim — respondeu Thècle, cuja fisionomia se abriu e cujo entusiasmo explodiu de repente. — É sim. E é muito bonzinho esse lindo lobo!

— Muito bonzinho! — exclamei. — Muito bonzinho! Que é que você quer dizer com isso, minha pequena e desastrada Thècle? Não é o lobo que é bom, é Chapeuzinho Vermelho...

— Não, não, é o lobinho — retrucou Thècle, com a delicada firmeza inspirada por uma convicção profunda.

— Mas você não pode pensar assim, minha pequerrucha — falei, abalado por essa singular e inesperada resposta, que lançava por terra todas as minhas ideias sobre as conclusões morais da obra-prima de Perrault. — Esse lobo malvado não pode parecer atraente para você, ele é o malfeitor da história, um vil celerado. Ele comeu a vovó de Chapeuzinho, comeu Chapeuzinho também, ele comeu tudo...

— Mas não comeu o bolo! — retrucou Thècle.

E voltando ao seu veredito, para confirmá-lo com a inexorável teimosia da infância, ela repetiu: — Oh, como é bonzinho esse lobo!

Confesso que, diante disso, afundei num abismo de elucubrações mentais, observando com uma espécie de pavor o rosto cândido e fresco da minha pequena interlocutora: a cabeça da Esfinge não me teria parecido mais cheia de enigmas e de mistérios.

"Quem é a criança aqui?", eu me perguntava, "essa garotinha de quatro anos que me diz, sem piscar, algo que me parece uma monstruosidade, ou eu, que se deixa abalar por essas ideias disparatadas? Que se passa dentro desse cerebrozinho, e por que reviravolta de todas as leis naturais essa alma ingênua se inclina para o carrasco e não para as suas vítimas? "AH, COMO É BONZINHO ESSE LOBO!" Quem poderá explicar-me essas palavras inexplicáveis?"

Felizmente para mim e para a boa opinião que eu desejava manter sobre a mente e o coração de sua filha, a mãe de Thècle voltou nesse instante.

— Olhe, senhorita — falou ela, beijando a menina aqui está o gostoso bolo que mamãe prometeu a sua filhinha Thècle, se ela se comportasse bem, o que espero que tenha acontecido.

— Está vendo, meu amigo? O lobinho não tinha comido o bolo — falou Thècle, com um ar a um tempo cordial e majestoso, pondo-se a comê-lo.

Compreendi uma parte da verdade. Confesso que o lado do bolo se iluminara para mim. Restava, porém, a boa opinião emitida sobre o lobo.

— Que importa? — falei. — Isso não impede que, com seus aguçados dentes, ele tenha devorado uma bondosa vovozinha e a sua netinha, o que não pode estar certo.

— O lobinho estava com muita fome — Thècle me disse, lançando-me um olhar cuja suprema inocência deveria ter-me desarmado.

— Muita fome! — exclamei. Muita fome... Ah, isso já é demais!

— Espere um instante! — interrompeu a mãe de Thècle, dirigindo-se a mim. — Você poderá me explicar que conversa é essa com minha filha? Sabe que estou começando a temer que as coisas não se passaram muito decorosamente entre vocês dois, na minha ausência?

E, prosseguindo à maneira de um juiz instrutor:

— Vejamos, Thècle, você está satisfeita com o seu amigo?

— Estou — disse Thècle. — Ele é bonzinho também.

— Ora essa! — pensei eu. — O lobo era *muito* bonzinho.

— Bem — disse a mãe — não é desse lado que vêm as queixas. Agora é a sua vez, meu caro, pode falar... Você não ficou satisfeito com a minha filha?

— Minha cara amiga — disse eu — ainda que eu tenha de afligi-la, as coisas vão ter de ser ditas como elas são, e você vai ficar sabendo até que ponto está perturbada a cabeça dessa sua estranha filhinha.

Contei-lhe então o emprego que tínhamos feito, Thècle e eu, da nossa meia hora.

Terminado o meu relato, a mãe me disse sorrindo: — Então é só isso? Mas, meu amigo, na circunstância particular em que se encontrava a minha pobre Thècle, foi a própria lógica da sua idade e da sua situação que falou por sua boca. O que impressionou e devia impressionar Thècle nessa sua lamentável história não foi, com efeito, o fato de ter o lobo devorado a avozinha e a imprudente Chapeuzinho Vermelho — dois detalhes insignificantes para uma jovem criaturinha de quatro anos, que nada tem de canibal mas que durante toda a leitura manteve uma genuína preocupação com o bolo; é que o amável lobo, com fome bastante para devorar uma velha e uma criança, teve o bom gosto e a generosidade de não comer um indefeso bolo, o qual, na mente de Thècle, bem podia ser o mesmo que eu lhe havia prometido.

— Esse ponto — continuou ela — em que todas as honras cabem ao lobo, deve ter sido para Thècle, confiante na minha promessa, o ponto luminoso da história. Não vejo nada de cruel em todo esse caso a não ser você, que, sabendo que minha pobre filha se acha há quarenta e oito horas sob dieta, ao invés de fazer a querida menina esquecer-se da hora do almoço entretendo-a com algo agradável e nos ajudando a disfarçar nossa ida para a mesa sem ela, resolve narrar para esse estômago vazio os belos achados feitos por um lobo acossado pela fome.

— Pois saiba você — concluiu ela — que minha filha é um anjo por considerá-lo tão bom quanto o lobo, logo você, que sentiu um cruel prazer em aguçar o seu apetite com suas histórias onde só se fala em comer, quando ela esperava ansiosa por sua refeição. Diga-lhe quanto a admira e peça-lhe perdão.

Foi o que me apressei a fazer.

A partir desse dia aprendi que, qualquer que seja o livro, nós, como a pequena Thècle, jamais exigimos aos seus heróis e ao seu autor outra coisa senão isto: que deixem intacta a nossa parte do bolo.

Nunca é demais repetir: as crianças leem à nossa maneira, evitando cuidadosamente ver num livro as coisas que não lhes têm serventia. Tudo o que ultrapassa seus miúdos conhecimentos jamais existe para elas. Cada uma, pois, só retém do sobrenatural, que nos faz tremer, aquilo que está na medida de suas forças, isto é, que se acha de acordo com a idade de sua ciência e de sua razão.

Além do mais, há outro motivo para nos tranquilizar.

Pois se alguém julga que o que é prodígio para o homem é também prodígio para as crianças, está inteiramente enganado. Se existe alguma coisa que distingue a criança do homem, é sem dúvida nenhuma o seu sangue-frio. Aos seis meses, ela estende um dedinho para tocar numa montanha que se acha a duas léguas de distância; abre a mão para pegar um pássaro perdido na imensidão do céu e acena para uma nuvem que passa. Aos dois anos, pede ao pai a lua, e a receberia de suas mãos sem piscar, se o pai pudesse despregá-la do céu em seu benefício. Que é que surpreende, então, as crianças? É o que é, ao invés do que não é: é que a água molha, o fogo queima; é o que as aborrece ou as faz sofrer. A dor é o seu maior assombro. Mas se fizermos as árvores ou as casas dançarem diante delas, podemos estar certos de que elas vão rir desse espetáculo como se ele fosse a coisa mais natural do mundo — se as árvores e as casas estiverem dançando segundo a sua fantasia e elas, as crianças, se verem comodamente instaladas para bem apreciá-las.

Quantas coisas nos deixam maravilhados, diante das quais, no entanto, ficam indiferentes as crianças. Os cometas, os eclipses — que nos põem a cabeça a girar — garanto que a elas não causam a menor mossa. Uma adorável meninazinha, que infortunadamente não está mais aqui, de quem peço que me perdoem por me lembrar ao falar para os filhos dos outros, estava um dia no terraço da minha casa. Paris se achava agitada, à espera de um eclipse. Sentada em sua cadeirinha, minha pobre e querida Marie não esperava absolutamente nada. Ela brincava com sua boneca. Pouco a pouco o eclipse foi chegando, e se fez noite. Marie veio procurar-me no meu gabinete:

— Paizinho — disse-me — venha ver! O sol está pensando que já é noite e vai se deitar. Ele se enganou, não é mesmo, paizinho? Ainda não são nove horas...

Expliquei-lhe a respeito dos eclipses. Para quê, meu Deus?

Não tenho forças para apagar essa lembrança que escapou, malgrado meu, do meu coração.

Retornemos aos vivos. Dizer a outros o que eles nos ensinaram, é uma forma de não esquecer os que já não existem mais.

Um de meus amigos, forçado a fazer uma viagem de alguns meses, confiou-me o seu filhinho, um lindo menino de quatro anos, meu afilhado. Era uma criaturinha encantadora, transbordante de vida, da vida que Deus houve por bem conceder-lhe. O pequeno Georges era um pouco guloso, mas sua gulodice não era dispendiosa: ele adorava batatas fritas!

Em um de seus passeios ao campo, ele havia visto como eram plantadas as batatas, e, sem dúvida, a partir desse momento veio-lhe à cabeça uma ideia.

Na próxima vez que lhe serviram batatas fritas, ele pediu que lhe enchessem o prato.

— Para que tanto? — perguntei-lhe.
— Para comer — respondeu ele — e também para plantar.
— Para plantar?
— É sim. Na horta de Georges.

Ele dividiu as batatas em duas porções, comeu uma, a maior, com muito apetite, e quando terminou desceu de sua cadeira e se dirigiu, imponentemente, com o seu prato e suas batatas fritas, para a horta; lá fez um buraco na terra, colocou nele as batatas — com um pouco de sal, que lhe aconselhei a pôr para que a colheita fosse boa — recobriu de terra sua plantação e voltou para buscar o seu copo, onde restava um pouco de água com algumas gotas de vinho, para regá-la.

Deixei-o agir à vontade.

Passaram-se oito dias. Após muitos cuidados e numerosas regas com água e vinho, Georges encontrou um dia um prato com batatas fritas no lugar onde havia feito a semeadura. Esperávamos uma certa surpresa... Mas qual nada! Aquilo pareceu-lhe a coisa mais natural e mais certa do mundo, pois se ele havia semeado, claro que iria colher. Ele apanhou o prato, que estava bem cheio, compartilhando-o com uma certa liberalidade, e naquele dia não quis comer mais nada a não ser as batatas fritas que ele próprio tinha plantado.

Vá a gente querer causar espanto nas crianças! Contudo, estaria eu errado em fazer crer ao pequeno Georges, numa idade em que isso iria diverti-lo e nos divertir também, que as batatas brotam muito bem quando fritas e com um prato por baixo? Se agi mal, não me censuro nem um pouco por isso; além do mais, nunca pude perceber se a mente do meu querido amiguinho ficou de alguma maneira prejudicada com o fato.

Não, não devemos ter receio de levar o maravilhoso às crianças. Não só muitas delas se divertem com isso como não são mais tolas do que nós, com as histórias que costumamos contar a nós mesmos para dormir, quando nos pomos a procurar causas e efeitos; e aquelas que são tolas (numa idade em que têm o direito de sê-lo), e que são geralmente as mais bem dotadas, sabem descontar sempre que for preciso tudo o que deve ser descontado. As fadas têm feito dormir com seus sorrisos um número muito maior de crianças do que aquelas que os grotescos e arregalados olhos dos ogros e dos Barba-Azuis têm conseguido manter acordadas.

Em suma, os castelos de fadas — os primeiros castelos do homem em seu berço — são, dentre todos os que se pode construir, inclusive os castelos de cartas, os mais encantadores, os mais confortáveis, os mais esplêndidos e os menos dispendiosos.

Os menos dispendiosos? Eu me engano aqui. A edição dos contos à qual estas notas vão servir de prefácio — esta extraordinária edição — vai custar muito dinheiro... tanto quanto a apresentação de um balé na Ópera, quanto um brinquedo da Giroux ou da Tempier, uma caixa de bombons da Boissier, uma flor artificial de preço moderado, enfim, a fumaça de alguns charutos finos.

O que se observa é o seguinte: o preço elevado relutantemente pago por algo perene é prazerosamente aceito na compra das coisas fugazes. Tereis de convir comigo, entretanto, que esta edição de Perrault não tem termo de comparação com todas as outras que a precederam, e que se trata de uma ideia digna de aplausos dar a um dos nossos primeiros livros, dos nossos primeiros clássicos, esta forma mágica e magistral.

Se este monumento, erguido à glória de Perrault e em proveito de seus admiradores de todas as idades, vier à luz, todo o mérito caberá ao mais jovem e mais arrojado dos nossos gênios contemporâneos. Enquanto executava intrepidamente às suas custas e assumindo todos os riscos e perigos a sua magnífica e sombria ilustração de Dante, Gustave Doré quis que ao mesmo tempo e no mesmo esplêndido formato aparecessem, como um contraste e um contraponto, os *Contos de Fadas* de Perrault. De um lado o maravilhoso no que ele tem de mais fúnebre, de mais áspero, de mais trágico; de outro, o maravilhoso divertido e espiritual, emocionante até mesmo nas partes cômicas, e cômico até mesmo nas partes emocionantes — o maravilhoso em seu berço. Ele queria também, ao mesmo tempo, acalmar o seu lápis, saindo dos horrores um pouco monocórdios do Inferno e testando a diversidade do seu talento.

O editor deste livro compreendeu o seu desejo e não recuou diante da enormidade do desafio: publicar um livro muito grande e muito caro para crianças. Ele imaginou que os papais e as mamães não iriam ficar aborrecidos de rever e reler, numa forma enfim atraente e digna deles, os amados contos de sua infância; e se lembrou também, sem dúvida, de que tinha tido mais de uma vez oportunidade de presentear algumas crianças com bonecas e polichinelos, tendo observado então que unicamente os brinquedos *muito grandes* é que eram recebidos com grande entusiasmo! Quem não conhece esse amor inato ao que é grande demais e, de certa forma, um trambolho, entre as crianças?

Um pirralho encantador conseguiu, certa vez, arrancar de mim a promessa de lhe dar um relógio, numa idade em que ele ainda não sabia e não tinha precisão de saber medir o tempo. Prometi satisfazer-lhe o desejo e abri generosamente para ele um crédito de vinte e cinco *sous*, para o dia em que encontrasse o relógio com que sonhava. Isso subiu à cabeça do garotinho. No mesmo dia ele arrastou sua ama, sem nada lhe dizer, até uma relojoaria, uma genuína relojoaria, para escolher o relógio prometido. Lá ele se apaixonou — adivinhai por qual? — por um relógio de parede, o maior da loja.

Uma vez encontrado o *seu* relógio, ele não pretendia separar-se dele.

— Pegue-o, babá — disse ele — nós voltamos amanhã com o dinheiro.

— Você é rico, então? — indagou o relojoeiro, participando da sua fantasia.

— Eu tenho vinte e cinco *sous* — respondeu o menino com altivez — que meu padrinho me prometeu.

— Pois bem — falou o relojoeiro — volte amanhã com os seus vinte e cinco sous e o padrinho que os prometeu, e aí poderemos entrar num acordo, ainda que vinte e cinco sous seja um preço muito baixo.

Não me lembro mais à força de que doces pressões, cujo segredo parece ser privilégio das crianças, o pequeno Paul me fez concordar em ir ver com ele o relógio que o havia fascinado; o fato é que lá fui eu. Chegando à relojoaria, imaginei que logo descobriria uma saída honrosa. Veio-me à ideia pendurar ao pescoço do entusiasmado rapazinho o relógio de sua escolha, julgando assim curá-lo da sua paixão pelo próprio peso dela. Curei-o apenas do desejo de usá-lo e acabei sendo derrotado pelo enorme relógio. Por bem ou por mal, ele passou da relojoaria para o quarto do seu extasiado dono — e lá continua até hoje.

A moral dessa história é que este volume, que no final das contas não chega a ultrapassar, por suas dimensões, a revista *Illustration* e outras publicações ilustradas favorecidas pela preferência infantil, bem poderia parecer no fundo, às crianças, muito abaixo do que elas merecem se não se distinguisse pelo seu grande formato. Não é, pois, supérfluo esclarecer que ele tem ainda outras recomendações de grande peso. Não lhe falta nenhuma qualificação, tendo os gravadores, o impressor, o fabricante de papel, o editor e o desenhista tentado fazer dele uma maravilha. Se eu também não tivesse colaborado, diria de bom grado que todos conseguiram o seu objetivo.

Resta-me terminar por onde talvez devesse ter começado, isto é, respondendo às boas almas que receiam não haver uma moral bastante sólida, bastante visível — eu ia dizer, bastante pesada — nos *Contos de Perrault*.

Eu gostaria muito de saber que ideia fazem esses moralistas, *apesar de tudo*, da moral em suas relações com a infância, e também que eles fossem intimados, de uma vez por todas, a dar a sua opinião. Eu a vejo na íntegra, a essa moral, por minha própria conta, em alguns preceitos mais negativos que positivos, tão simples e tão familiares que não poderiam estar em outro lugar senão nos sorridentes lábios das mães. Anotai, pois, este código da primeira infância, se tiverdes coragem: "É preciso amar o papai, a mamãe e o bom Deus". Isso é para a alma. "É preciso tomar corajosamente a sopa até a última colherada". Isso é para o corpo. E para a vida prática: "Não se deve meter o dedo nem no nariz, nem nos potes de doce. Não se deve brincar com coisas cortantes; faca não é brinquedo. É absolutamente condenável arranhar o irmão, a irmã ou mesmo a ama. É errado também andar no meio dos regatos, pois eles não foram feitos para isso. Deve-se deixar lavar o rosto sem chorar. Não se deve jamais dizer não quando se tem que dizer sim. Não se deve jamais dizer que não se está com sono quando o relógio bater oito e meia", etc., etc.

Resumindo tudo isso: "É preciso ser obediente". Feliz idade essa em que uma criança obediente possui provisoriamente todas as boas qualidades! Feliz idade essa em que ser bom é obedecer a quem te adora e te mima.

Essa moral, convenientemente entremeada de polichinelos e de contos de fadas, é tudo quanto a criança *merece* nesse particular, enquanto não atingir essa dolorosa idade em que deixa de pagar meia passagem nos trens e começa, tão prematuramente, a ser registrada como um ser inteiro.

É a esse bom sentimento levado ao exagero, e que se esforça para que nada de imoral perpasse pela infância, que nós devemos os milhares de livros pesados como chumbo com que é esmagada a primeira infância em nosso *soi-disant* frívolo país de França. A moral, para convir às crianças — nunca é demais repetir — não tem necessidade de ter cem pés de altura ou de profundidade, nem de pesar cem quilos. Eu a vejo leve, amorável e alegre como as próprias crianças. Não deve crescer senão à medida que elas também cresçam, e só se elevar à medida que elas se elevem.

Tudo o que diverte uma criança sem prejudicá-la, seja livro ou brinquedo, diz-se com razão que é moral. A alegria, o contentamento, as risadas são a saúde do espírito das crianças. Tudo o que mantém essa saúde — a bola, o arco de madeira, a própria corneta e o terrível tambor (se os pais não são sujeitos a enxaquecas) — é parte essencial, podeis estar certa, cara leitora, da moral infantil.

Sim, tudo o que faz rir e sorrir essas pequenas criaturas é para elas o começo da sabedoria. O bom humor e a curiosidade do espírito são a sua ginástica mental. E vós, que fazeis com que vossos filhos corram e brinquem, não cerceeis mais o seu cérebro do que o seu corpo no momento em que ele tiver necessidade de movimento; que sejam lidos para eles, nos intervalos, livros que os divirtam, e posto à sua disposição como base de sua biblioteca o seu amigo Perrault. Por que razão, dentre todos os seus entretenimentos, será esse livro o único que irá franzir-lhes a fronte inocente?

Não foi minha intenção analisar aqui detalhadamente a obra de Perrault e sim julgá-la no seu conjunto. Pareceu-me fora de propósito fazer, na esteira de uma centena de outros, um trabalho erudito ou de crítica a respeito de uma obra tão perfeita que lhe tirar uma única palavra seria causar-lhe um dano considerável. Que poderei dizer dele, aliás, que já não seja sabido? Que outra obra obteve um sucesso tão universal? Louvar esses deliciosos contos em todas as minúcias me parece um ultraje para quem quer que já os tenha lido. Ora, eu gostaria de conhecer uma criatura tão deserdada da sorte que não tenha jamais ouvido falar deles. É possível que se encontre no mundo civilizado gente que ignore nomes famosos como o de César, Maomé ou Napoleão. Mas não há ninguém que desconheça os nomes ainda mais famosos de Chapeuzinho Vermelho, Cinderela ou Gato de Botas. O mais atento dos leitores já apagou da memória três quartos dos livros que leu em sua vida; o mais desatento deles jamais esqueceu Barba-Azul.

O que interessa ressaltar é que, como quase todos aqueles que tiveram a boa fortuna de ser lidos pela infância, Perrault foi um homem excelente e cortês, cujo caráter não destoava do seu talento e para quem o amor paternal foi a verdadeira musa. Nascido em Paris em 1628, morreu em 1703. Sempre jovem de espírito, foi para o seu filho que ele escreveu em 1697, aos sessenta e nove anos, esta coletânea de contos, tendo sido sob o nome de seu afortunado filho — então com onze anos apenas — que ele os publicou inicialmente.

Os temas dos *Contos* de Perrault serão, nos seus mínimos detalhes, de Perrault? Alguns estudiosos têm tentado levantar dúvida a esse respeito. Eu concordaria com eles e diria que não, que a maior parte dos contos, assim como a maior parte das fábulas de La Fontaine, já existia há longo tempo, seja sob a forma de mitos ou de lendas na memória das avós, das amas e dos estudiosos, seja em livros pouco conhecidos e que provavelmente mereciam esse desconhecimento. Perrault tirou-os das sombras em que eles modorravam e, graças à maneira incomparável como os fez ressuscitar, graças à elegância da forma de que os revestiu, deu-lhes uma existência real e definitiva e os tornou imortais. Para nos mostrar que Perrault sabia melhor do que ninguém algo que, sem dúvida, não fazia parte da erudição do seu tempo, há o testemunho dos dois versos de La Fontaine, anteriores à publicação dos *Contos da Carochinha*:

Se *Pele de Asno* me fosse contado
Eu teria sentido um prazer extremo;

Ao deixarem claro que os *Contos* de Perrault não são totalmente um produto de sua imaginação, os estudiosos prestaram a eles um grande serviço — o de colocá-los fora do alcance de qualquer crítica sobre o valor de seus temas. Os contos são tão antigos — e cosmopolitas, a esta altura — que remontar à sua origem é praticamente impossível. Eles têm, pois, a consagração de todos os tempos e de todos os países. Quanto a Perrault, ao tomar emprestado à versão primitiva das suas histórias aquilo que merecia ser conservado, ele fez um trabalho de criação comparável ao do autor de um drama ou de uma tragédia, de um romance ou de um poema, quando tira da História, da fábula ou da lenda uma parte do tema de sua obra. Perrault é, pois, o autor de *O Pequeno Polegar* tanto quanto o autor da *Ilíada* o é de seus versos, ainda que não tenha sido ele quem inventou o valoroso Aquiles; e se pode afirmar, igualmente, que Virgílio, Racine, Corneille, Shakespeare e, em nossa época, Victor Hugo, são os autores de seus poemas e de seus dramas, ainda que seus personagens pertençam ao passado.

Os acadêmicos não servem para nada. Mas pelo menos quatro vezes em dez, felizmente, eles conseguem provar exatamente o contrário daquilo que era o objetivo de suas pesquisas. Não obstante, cavoucar é sempre bom. Nunca se sabe o que a enxada irá desencavar das entranhas da terra.

Terminaremos por um especial elogio a que fazem jus, entre todas as obras do coração e do espírito, os *Contos* de Perrault: eles são extremamente curtos. *Chapeuzinho Vermelho*, para citar apenas um, é uma perfeita obra-prima composta de duas páginas. Os contos são curtos e isso lhes permite ser cheios de espírito em cada palavra sem ultrapassarem o duplo objetivo a que se propõem: cativar a criança e provocar sorrisos e reflexões no adulto. É uma das glórias da França que alguns de seus escritores tenham elevado o espírito às culminâncias do gênio, e o principal fundamento dessa glória é que quase todos esses escritores souberam, em obras onde o espírito devia ter grande destaque, ser breves. Toda obra de espírito deve ser curta, de fato; faz parte do jogo do espírito, assim como do de uma flecha, jamais tomar o caminho mais longo. Podemos citar algumas obras-primas estrangeiras, como por exemplo *Tristram Shandy e Gulliver,* cuja extensão só conquistou — ainda que justificadamente — apenas três quartos dos leitores e do sucesso que cada uma de suas páginas merecia, se fosse considerada isoladamente. Saber parar no momento certo — eis aí a metade do talento. Dou-me conta agora, um pouco tardiamente, que deveria ter tentado conseguir para mim, à falta de outras qualidades, metade desse mérito de nossos mestres.

P. J. STAHL

Contos de Perrault

CHAPEUZINHO VERMELHO

Era uma vez uma menina que vivia numa aldeia e era a coisa mais linda que se podia imaginar. Sua mãe era louca por ela, e a avó mais louca ainda. A boa velhinha mandou fazer para ela um chapeuzinho vermelho, e esse chapéu lhe assentou tão bem que a menina passou a ser chamada por todo mundo de Chapeuzinho Vermelho.

Um dia sua mãe, tendo feito alguns bolos, disse-lhe: "Vá ver como está passando a sua avó, pois fiquei sabendo que ela está um pouco adoentada. Leve-lhe um bolo e este potezinho de manteiga". Chapeuzinho Vermelho partiu logo para a casa da avó, que morava numa aldeia vizinha. Ao atravessar a floresta, ela encontrou o Sr. Lobo, que ficou louco de vontade de comê-la; não ousou fazer isso, porém, por causa da presença de alguns lenhadores na floresta. Perguntou a ela aonde ia, e a pobre menina, que ignorava ser perigoso parar para conversar com um lobo, respondeu: "Vou à casa da minha avó para levar-lhe um bolo e um potezinho de manteiga que mamãe mandou". "Ela mora muito longe?", quis saber o Lobo. "Mora, sim!", falou Chapeuzinho Vermelho. "Mora depois daquele moinho que se avista lá longe, muito longe, na primeira casa da aldeia". "Muito bem", disse o Lobo, "eu também vou visitá-la. Eu sigo por este caminho aqui, e você por aquele lá. Vamos ver quem chega primeiro".

O Lobo saiu correndo a toda velocidade pelo caminho mais curto, enquanto a menina seguia pelo caminho mais longo, distraindo-se a colher avelãs, a correr atrás das borboletas e a fazer um buquê com as florezinhas que ia encontrando.

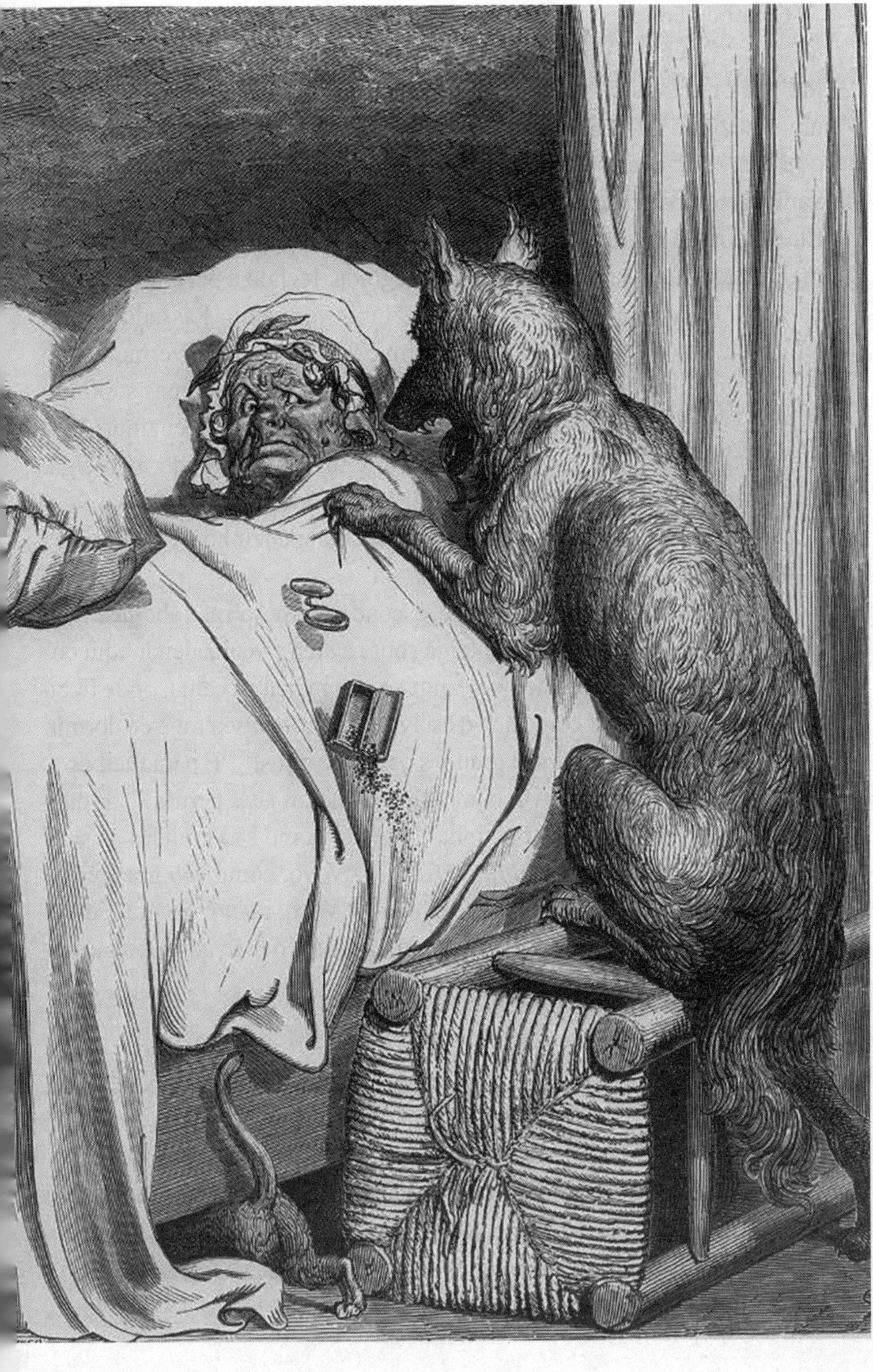

O Lobo não levou muito tempo para chegar à casa da avó. Ele bate: toc, toc. "Quem é?", pergunta a avó. "É a sua neta, Chapeuzinho Vermelho", falou o Lobo disfarçando a voz. "Trouxe para a senhora um bolo e um potezinho de manteiga, que minha mãe mandou". A boa avozinha, que estava acamada porque não se sentia muito bem, gritou-lhe: "Levante a aldraba que o ferrolho sobe". O Lobo fez isso e a porta se abriu. Ele lançou-se sobre a boa mulher e a devorou num segundo, pois fazia mais de três dias que não comia. Em seguida, fechou a porta e se deitou na cama da avó, à espera de Chapeuzinho Vermelho. Passado algum tempo ela bateu à porta: toc, toc. "Quem é?" Chapeuzinho Vermelho, ao ouvir a voz grossa do Lobo, ficou com medo a princípio, mas supondo que a avó estivesse rouca, respondeu: "É sua neta, Chapeuzinho Vermelho, que traz para a senhora um bolo e um potezinho de manteiga, que mamãe mandou". O Lobo gritou-lhe, adoçando um pouco a voz: "Levante a aldraba que o ferrolho sobe". Chapeuzinho Vermelho fez isso e a porta se abriu.

O Lobo, vendo-a entrar, disse-lhe, escondendo-se sob as cobertas: "Ponha o bolo e o potezinho de manteiga sobre a arca e venha deitar aqui comigo". Chapeuzinho Vermelho despiu-se e se meteu na cama, onde ficou muito admirada ao ver como a avó estava esquisita em seu traje de dormir. Disse a ela: "Vovó, como são grandes os seus braços!" "É para melhor te abraçar, minha filha!" "Vovó, como são grandes as suas pernas!" "É para poder correr melhor, minha netinha!" "Vovó, como são grandes as suas orelhas!" "É para ouvir melhor, netinha!" "Vovó, como são grandes os seus olhos!" "É para ver melhor, netinha!" "Vovó, como são grandes os seus dentes!" "É para te comer!" E assim dizendo, o malvado lobo atirou-se sobre Chapeuzinho Vermelho e a comeu.

COMENTÁRIO

O *chaperon* era uma espécie de capuz usado antigamente por homens e mulheres e cuja cor servia frequentemente, nas dissidências da Idade Média, para identificar os partidos políticos. Seu uso foi mantido por longo tempo, no norte e no centro da França, pelas camponesas, pelas mulheres das classes baixas e pelas aias.

Contos De Perrault

No século XVI, nas regiões de Paris e da Picardia, as mocinhas aldeãs e citadinas, que até então eram chamadas de *chaperons*, começaram a receber outro apelido, originado num novo tipo de toucado: as coifas e as carapuças. Já no século, XVII, em que as mulheres das classes inferiores estavam sempre vestidas com grosseiros tecidos cor-de-cinza, os antigos nomes foram substituídos pelo de *grisette*, derivado da cor de sua roupa e que acabou por adquirir um sentido especial, designando o coquetismo das jovens plebeias, pobres e livres.

O Chapeuzinho Vermelho está longe de trazer à lembrança uma rapariguinha maliciosa. Trata-se da própria inocência, em seus verdes anos — uma menina tão nova que nem ainda tem um nome. Mais tarde, pela altura de seus treze ou quatorze anos, ela será chamada de Nicette. Uma de suas irmãs mais velhas já recebeu o nome de Nicolette, e uma outra, a mais velha da família e já casada, apesar de também jovem, chama-se Perrette Pote-de-Leite, a leiteira da fábula de La Fontaine. Uma de suas primas serviu de criada para o senhor Arnolphe e foi aia de Agnes, a pupila desse velho burguês.

Todo esse gracioso bando de jovens aldeãs foi o enfeite e o encanto das narrativas dos nossos antigos contadores de histórias.

O lobo que come a vovó e a menina é nativo de não importa qual região da Europa. Perrault, porém, tem-no como um frequentador das trilhas das florestas ao redor de Paris, um vagabundo que conhece as aldeias e os seus habitantes. Ele tem, aliás, um papel em mais de um drama campestre, e às vezes até mesmo numa comédia, em que é logrado, como mostra uma das fábulas de La Fontaine (IV, 16):

"Biaux chire Loups, n'écoutez mie
Mêre tenchent chen fieux qui crie"[3].

Em sua qualidade de nômade, ele conhece o dialeto e o sotaque de cada região, sendo mesmo capaz de entabular conversa com o primeiro matuto que encontrar; seja ele homem ou cão. Há gente que já foi vista conversando com ele e — como o Lobo tem alguma ligação com a feitiçaria — embrenhando-se no bosque em sua companhia, para ir à assembleia das bruxas. Mais de um pastor e de um fidalgote de província, ignorante e ocioso, fez amizade com o Lobo. Outrora o senhor Lobo sofreu muitos dissabores por artes da Raposa, que abusou dele e o humilhou cruelmente; todavia, voltamos a encontrá-lo no século XVII ora como um filósofo campesino, ora tão malvado como a própria Raposa, que lhe serviu de mestra. Ele surge então sob a forma do Lobo branco.

---

3 Caros Lobos, não deis ouvidos à mãe
Que ralha com seu filho chorão!

Charles Perrault

O Chapeuzinho Vermelho é encontrado também na Alemanha, e no livro dos Irmãos Grimm tem (n° 26) o mesmo título que o do conto francês. A diferença é que as amas alemãs, tomadas de compaixão por Chapeuzinho Vermelho e sua avó, deram à história um novo desfecho, no qual o crime é punido e a inocência vingada.

"Quando o lobo", dizem elas, "se viu de barriga cheia, ele tornou a deitar na cama e adormeceu, pondo-se a roncar ruidosamente. Ora, sucedeu que um caçador ia passando perto da casa: "Oh!", exclamou ele, "como ronca a avozinha! Vou ver se ela não estará passando mal". Entrou no quarto e, ao chegar perto da cama, viu que era o lobo que roncava tão alto. "Ha, ha! Já te pego, seu patife!", falou ele. "Há muito tempo que te procuro": E já ia dar-lhe um tiro com a sua espingarda quando percebeu que o lobo tinha evidentemente comido a avozinha, mas que talvez ainda houvesse um meio de salvá-la. Em vez de atirar, ele passou a mão numa enorme tesoura e começou a cortar a vasta pança de Sua Excelência o Lobo, que continuava a roncar. Mal havia ele dado duas tesouradas quando viu aparecer o chapeuzinho vermelho; mais dois cortes, e a menina, libertada, saltou por terra gritando: "Oh, que medo eu tive! Estava tão escuro dentro da barriga do lobo!" Logo em seguida veio a avó, ainda viva, mas mal podendo respirar. E então Chapeuzinho Vermelho foi correndo apanhar um punhado de pedras, com as quais encheram a barriga do lobo. Quando ele acordou e viu todo mundo ali, quis saltar da cama, mas as pedras eram tão pesadas que ele desabou ao chão com estrondo e morreu da queda.

"Foi então que os nossos três amigos se alegraram. O caçador pegou a pele do senhor lobo e a levou para a sua casa; a avó comeu o bolo e o potezinho de manteiga que Chapeuzinho Vermelho tinha trazido e achou-os deliciosos. Quanto à menina, disse consigo mesma: "Nunca mais vou desobedecer minha mãe e me desviar do caminho na floresta".

O PEQUENO POLEGAR

Era uma vez um casal de lenhadores que tinha sete filhos, todos eles homens; o mais velho tinha apenas dez anos e o mais novo sete. Há de causar espanto que o lenhador tenha tido tantos filhos em tão pouco tempo, mas o caso é que sua mulher era muito expedita nessa função e nunca tinha menos de dois filhos de cada vez.

Eles eram muito pobres e os seus sete filhos lhes davam muita preocupação, pois nenhum deles tinha ainda idade para ganhar a vida. O que os aborrecia ainda mais era que o mais novo era muito miúdo e não falava uma palavra, tomando eles como parvoíce o que não passava de um sinal da bondade de seu espírito. Ele era muito pequeno, e quando veio ao mundo tinha o tamanho de um dedo polegar, o que fez com que o chamassem de Pequeno Polegar.

O pobre menino era o bode expiatório da casa, sendo considerado culpado de tudo o que acontecia de errado ali. No entanto, era o mais esperto e o mais ajuizado de todos os irmãos. E se falava pouco, ouvia muito.

Num ano de muita miséria, em que a fome foi muito grande, aquela pobre gente decidiu desfazer-se dos filhos. Uma noite, quando os meninos já estavam deitados e o lenhador se achava sentado ao pé do fogo com a mulher, ele lhe falou, com o coração cheio de dor: "Você está vendo que não podemos mais alimentar nossos filhos. Não tenho coragem de vê-los morrer de fome diante dos meus olhos e estou resolvido a levá-los amanhã à floresta e deixá-los lá, perdidos, o que não é difícil de fazer, pois enquanto eles se distraírem catando gravetos nós fugimos sem que eles percebam". "Ai, ai!", gemeu a lenhadora, "você será capaz, você mesmo, de abandonar os seus filhos na floresta?" Não adiantou o marido mostrar a ela como era grande a sua miséria, ela não podia consentir naquela ideia. Ela era pobre, mas era a mãe dos meninos.

Contudo, depois de refletir como seria doloroso ver os filhos morrerem de fome, ela acabou consentindo, e foi-se deitar chorando.

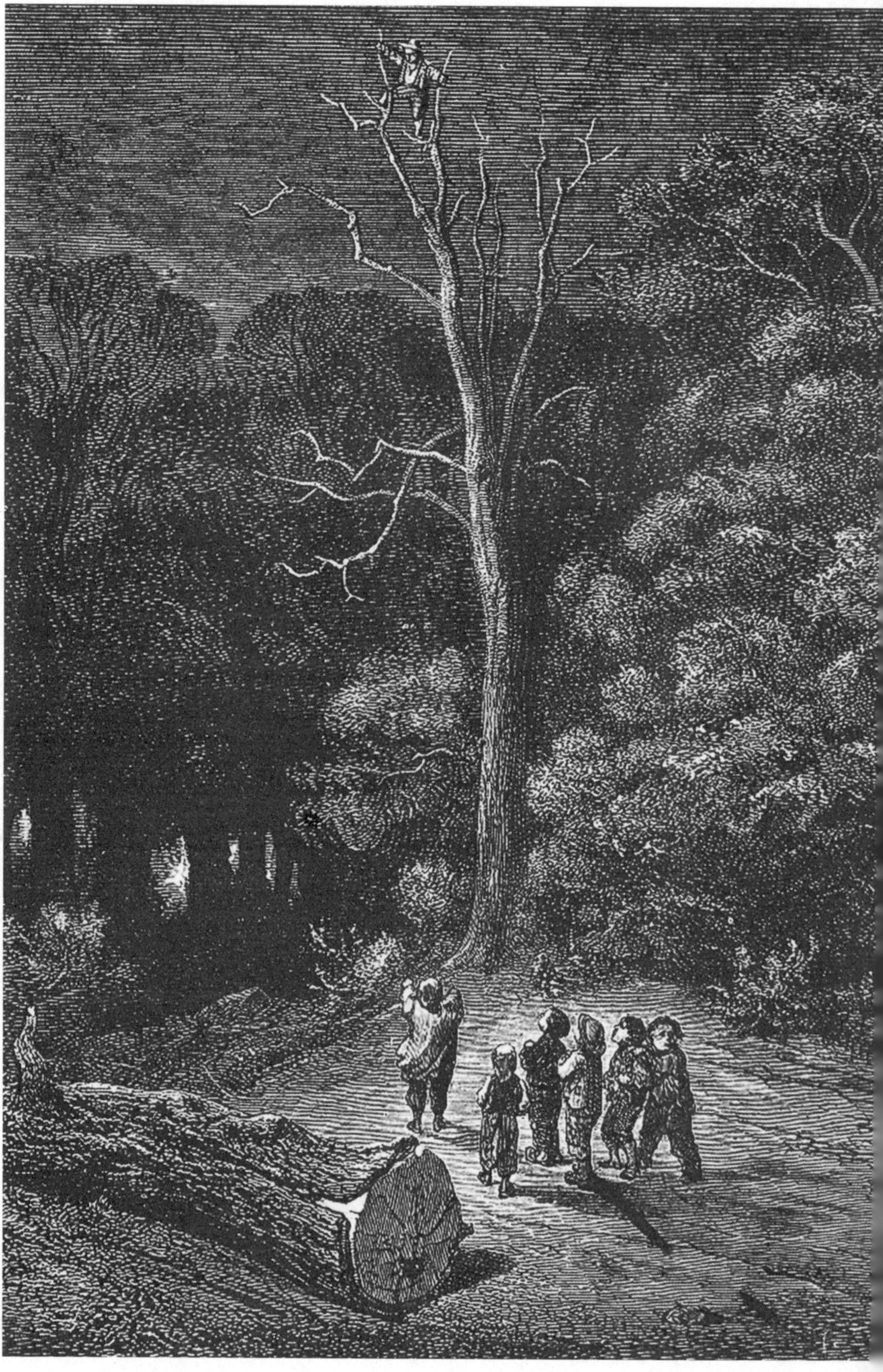

O Pequeno Polegar ouviu tudo o que eles tinham dito, pois, ao perceber da sua cama que os pais falavam dos problemas da casa, ele se levantara silenciosamente e se metera sob o banco do pai, para ouvi-los sem ser visto. Quando foi deitar-se de novo não conseguiu dormir o resto da noite, imaginando o que iria fazer. Ele levantou-se bem cedinho e foi até a beira do rio catar pedrinhas brancas. Encheu com elas os bolsos e voltou para casa. Todos partiram, mas o Pequeno Polegar não contou nada do que sabia aos irmãos.

Eles foram até uma floresta muito fechada, onde uma pessoa não enxergava a outra a dez passos de distância. O lenhador começou a cortar lenha e os meninos a juntar os feixes de ramos. O pai e a mãe, ao vê-los distraídos com esse trabalho, foram-se afastando deles aos poucos e por fim fugiram rapidamente por um caminho diferente.

Quando os meninos se viram sozinhos começaram a gritar e a chorar com toda a sua força. O Pequeno Polegar deixou-os gritar, já sabendo muito bem como poderia voltar à casa, pois à medida que andava ele viera deixando cair ao longo do caminho as pedrinhas brancas que trazia nos bolsos. Disse então aos irmãos: "Não tenham medo. Meu pai e minha mãe nos deixaram aqui mas eu levarei vocês de volta a casa. Basta que me sigam".

Os irmãos o seguiram e ele os levou para casa pelo mesmo caminho por onde tinham vindo até a floresta. Sem coragem de entrar logo, eles se agruparam junto à porta para ouvir o que diziam os seus pais.

No momento em que o lenhador e a lenhadora chegaram em casa, receberam de surpresa, enviados pelo chefe da aldeia, dez escudos que ele lhes devia fazia muito tempo e dos quais eles já tinham desistido. Isso lhes deu novo alento, pois os pobres coitados estavam morrendo de fome. O lenhador mandou imediatamente a mulher ao açougue. Como fazia muito tempo que eles não comiam, ela comprou uma quantidade de carne três vezes maior do que a necessária para a ceia de duas pessoas. Depois que saciaram a fome, a mulher falou: "Ai, ai, meu Deus, onde estarão agora os nossos pobres filhos? Eles iriam aproveitar muito tudo isso que sobrou. Mas foi você, Guilherme, que quis abandoná-los; bem que eu disse que nós iríamos nos arrepender. Como estarão eles agora no meio da floresta? Ai, meu Deus, com certeza os lobos já os comeram! Como você é desumano, abandonando assim os seus filhos!".

O lenhador acabou perdendo a paciência, pois a mulher repetiu mais de vinte vezes que ela bem que tinha dito que eles iam arrepender-se. Ele ameaçou de lhe dar uns tapas se ela não se calasse. Não é que o lenhador não estivesse talvez até mais acabrunhado do que a mulher, mas é que ela lhe atazanava a cabeça. Ele era igualzinho a muita gente, que gosta muito das mulheres que dizem amém, mas acha muito aborrecidas as que estão sempre falando "eu bem que disse".

A lenhadora estava em pranto. "Ai, meu Deus! Onde estarão agora os meus filhos, os meus pobres filhinhos?" Ela falou tão alto, uma vez, que os meninos, encostados à porta, ouviram e começaram a gritar todos juntos: "Estamos aqui! Estamos aqui!" Ela correu a abrir a porta e lhes disse, beijando-os: "Como estou feliz de ver vocês de novo, meus queridos filhos! Vocês devem estar muito cansados e com muita fome. E você Pierrot, como está enlameado... Venha cá, para eu te lavar". Esse Pierrot era o seu filho mais velho e o mais amado por ela, porque era um pouco ruivo, igual à mãe.

Eles se sentaram à mesa e comeram com um apetite que dava gosto ao pai e à mãe, aos quais contaram o medo que tinham tido na floresta, falando todos ao mesmo tempo. Aquela boa gente se sentia muito feliz de ter os filhos junto deles de novo; essa alegria durou o tempo que duraram os dez escudos. Quando o dinheiro acabou eles voltaram à antiga tristeza, decidindo então levar os filhos para a floresta de novo, e dessa vez para bem longe, a fim de que não pudessem voltar. Contudo, não conseguiram conversar sobre isso tão secretamente que não fossem ouvidos pelo Pequeno Polegar, que se preparou para se safar da situação da mesma forma como tinha feito da primeira vez. Quando, porém, ele se levantou bem cedinho para catar as pedrinhas, não pôde fazer isso porque encontrou a porta da casa solidamente trancada. Ele ficou sem saber o que fazer; entretanto, tendo a mãe dado a cada um deles um pedaço de pão para a refeição da manhã, ele imaginou que poderia usar o seu pão, em lugar das pedras, fazendo bolinhas com ele e atirando-as pelo caminho por onde passassem. Assim pensando, guardou o seu pedaço no bolso.

O pai e a mãe os levaram para o ponto mais fechado e escuro da floresta e os deixaram ali, escapulindo rapidamente por um outro caminho. O Pequeno Polegar não se preocupou muito, pois imaginava poder encontrar facilmente o caminho de volta seguindo as bolinhas de pão, que na vinda ele viera deixando cair no chão. Ficou, porém, muito espantado quando não conseguiu encontrar uma única migalha do pão. Os passarinhos tinham comido tudo.

Eles ficaram, então realmente aflitos, pois quanto mais andavam, mais se embrenhavam na floresta. Chegou a noite e começou a soprar um vento muito forte, que lhes causou um pavor terrível. Imaginavam estar ouvindo de todos os lados os uivos de lobos aproximando-se para devorá-los. Eles não tinham coragem de falar uns com os outros, nem de olhar para os lados. Logo depois desabou uma chuva muito pesada, que os deixou molhados até os ossos. Eles continuaram a andar, escorregando, caindo no meio do barro, levantando-se com as mãos cobertas de lama sem saber o que fazer com elas.

O Pequeno Polegar subiu ao alto de uma árvore para ver se avistava alguma coisa. Virando a cabeça para todos os lados, acabou vendo ao longe, para além da floresta, um clarão muito débil, como o de uma candeia. Ele desceu da árvore, mas ao pôr os pés no chão não viu mais nada. Isso o deixou desolado. Contudo, ao caminhar durante algum tempo, junto com os irmãos, na direção de onde tinha visto a luz, tornou a avistá-la ao sair da floresta.

Alcançaram, por fim, a casa de onde vinha a luz, não antes que passassem por muitos sobressaltos, pois várias vezes a perderam de vista, o que acontecia sempre que desciam até alguma grota. Bateram à porta e uma boa mulher veio abrir, perguntando o que desejavam. O Pequeno Polegar falou que eles eram uns pobres meninos perdidos na floresta e lhe pediam, por caridade, um abrigo para passarem a noite. A mulher, ao se ver diante de tão encantadoras crianças, pôs-se a chorar e lhes disse: "Ai, meus pobres meninos, onde é que vocês foram bater! Vocês não sabem que aqui é a casa de um ogro que come crianças?" — "Ai de nós, minha senhora", respondeu o Pequeno Polegar, que tremia dos pés à cabeça, assim como os seus irmãos, "que podemos fazer? Com toda a certeza os lobos da floresta vão nos comer esta noite, se a senhora não permitir que nos abriguemos aqui. Diante disso, preferimos que seja o Sr. Ogro que nos coma; talvez ele tenha pena de nós, se a senhora lhe suplicar que nos poupe".

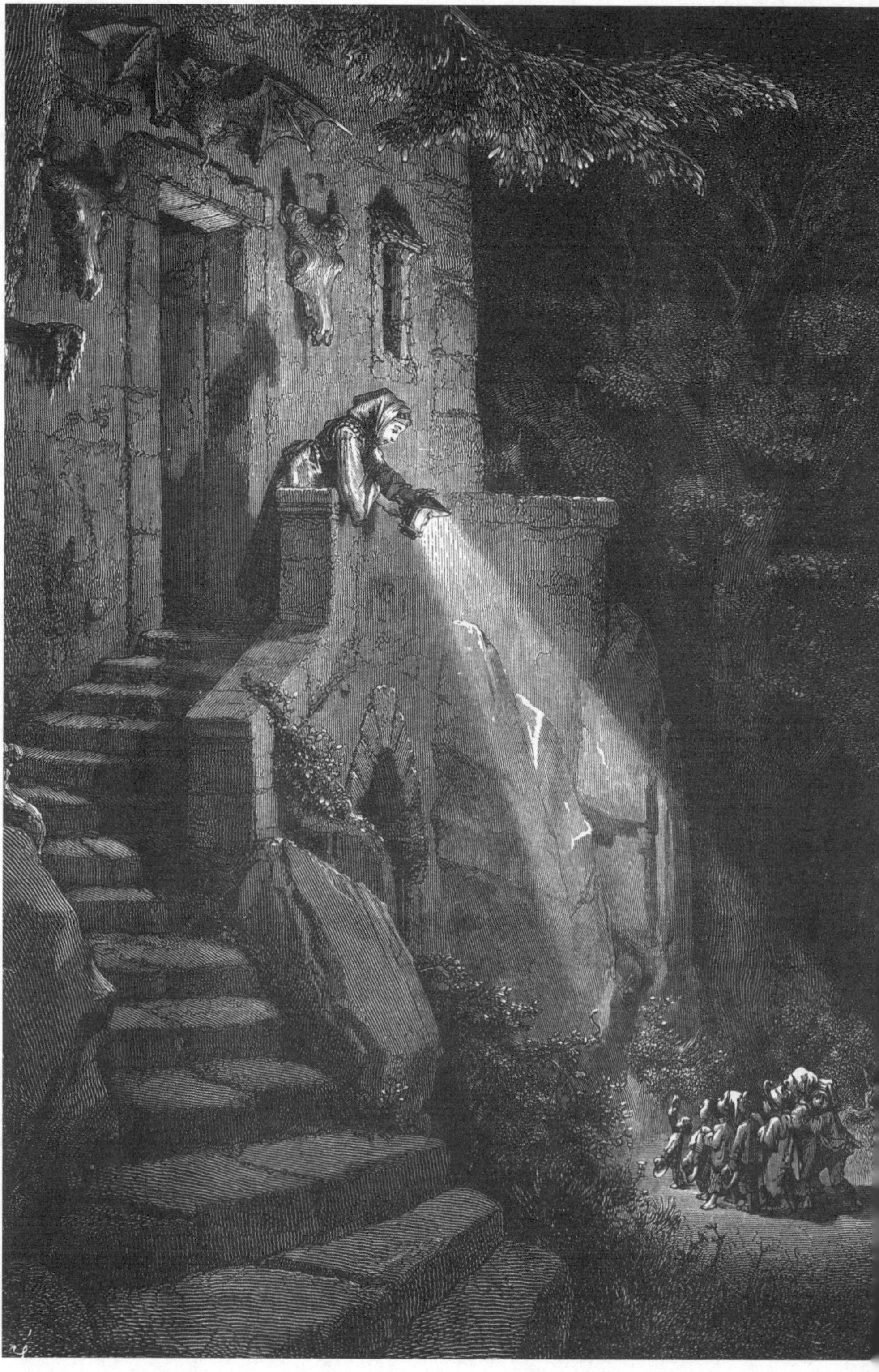

A mulher do Ogro, acreditando poder escondê-los do marido até a manhã seguinte, deixou-os entrar e os levou para se aquecerem junto a um bom fogo, sobre o qual ela tinha posto a assar no espeto um carneiro inteiro, para o jantar do Ogro.

Quando já estavam começando a se aquecer, eles ouviram três ou quatro batidas muito fortes na porta. Era o Ogro que chegava. Depressa a mulher escondeu-os debaixo da cama e foi abrir a porta. A primeira coisa que o Ogro perguntou foi se o jantar já estava pronto e se o vinho tinha sido tirado do tonel. Logo depois sentou-se à mesa, pondo-se a farejar à direita e à esquerda, e dizendo que sentia cheiro de carne fresca. "Deve ser este vitelo que acabei de temperar", respondeu a mulher. "Sinto cheiro de carne fresca, estou te dizendo", repetiu o Ogro, olhando de través para a mulher. "Há qualquer coisa aqui que não sei o que é". E assim falando ele se levantou e foi direto à cama.

"Ah!", exclamou ele, aí está como você me engana, maldita mulher! Não sei o que me segura, que ainda não te comi também. O que te salva é que você está velha demais. Eis aqui uma boa caça, que vem bem a propósito para eu oferecer a três ogros, meus amigos, que devem visitar-me um dia desses".

E tirou debaixo da cama, um após outro, os pobres meninos, que caíram de joelhos diante dele e lhe pediram misericórdia. Mas eles estavam lidando com o mais cruel de todos os ogros, o qual, longe de se apiedar deles, já os devorava com os olhos e dizia à sua mulher que eles seriam um prato muito apetitoso depois de preparados com um bom molho.

Ele foi buscar um grande facão e, voltando para junto dos pobres meninos, começou a afiá-lo numa comprida pedra que segurava na mão esquerda. Já tinha agarrado uma das crianças quando sua mulher lhe disse: "Que é que você pretende fazer a uma hora dessas?

Amanhã você terá tempo de sobra para isso". — "Cale-se", respondeu o Ogro, "assim a carne deles ficará mais macia". — "Mas você ainda tem tanta carne", insistiu a mulher. "Veja, um vitelo, dois carneiros e a metade de um porco". — "É, você tem razão", disse o Ogro. "Dê bastante comida a eles, para que não emagreçam, e leve-os para dormir."

A boa mulher ficou louca de alegria; serviu aos meninos um farto jantar, mas eles não conseguiram comer nada, tamanho era o medo que sentiam. Quanto ao Ogro, ele se pôs a beber, encantado por ter com que

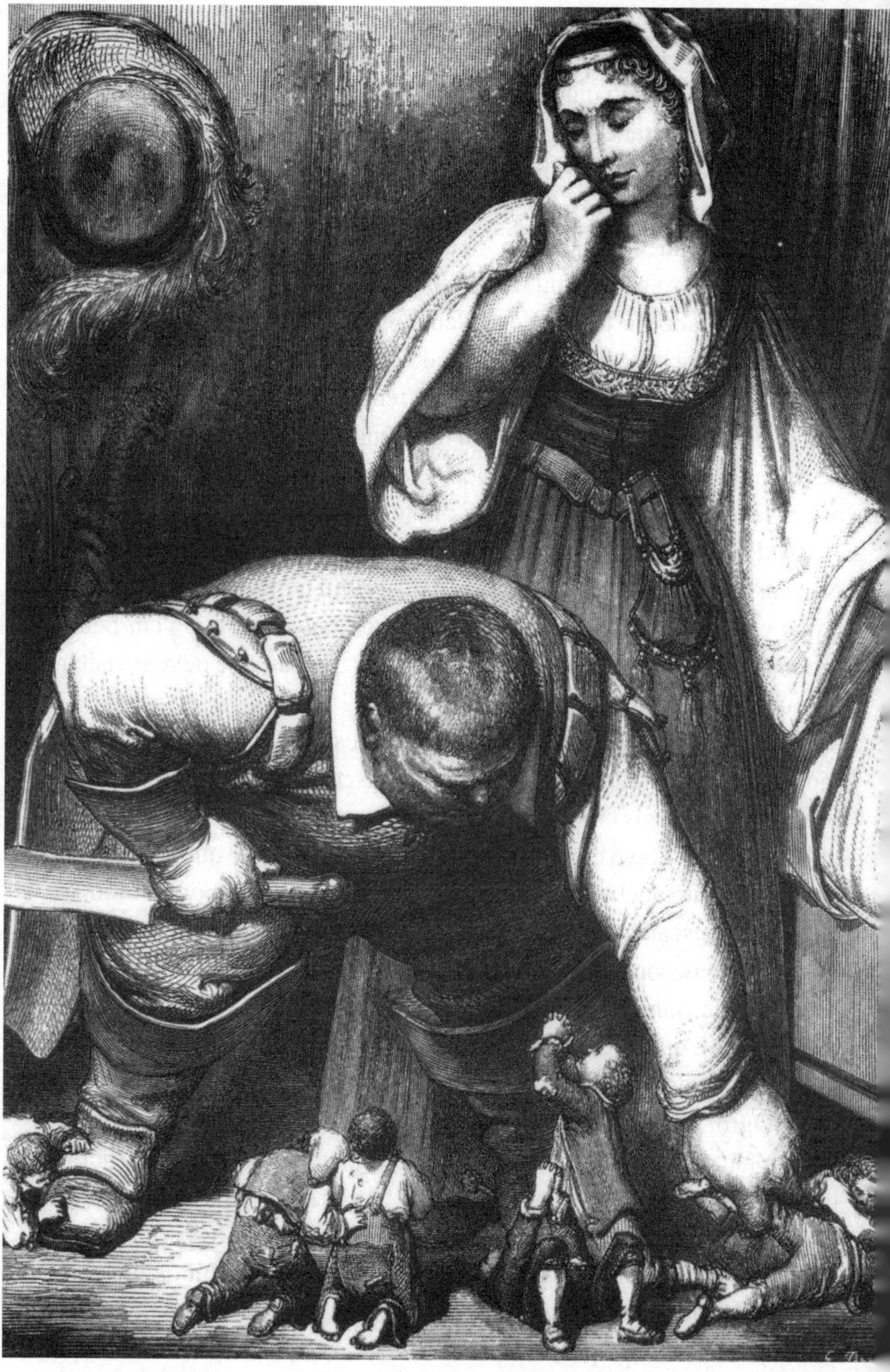

regalar seus amigos. Tomou uma dúzia de copos a mais do que estava habituado, e isso lhe subiu à cabeça, forçando-o a ir deitar-se.

O Ogro tinha sete filhas, todas elas ainda meninas.

Essas ograzinhas tinham todas uma tez muito bonita porque comiam carne crua, como o pai, mas tinham olhinhos cinzentos e muito redondos, o nariz adunco e uma boca muito grande, com dentes compridos, muito aguçados e bem separados uns dos outros. Elas ainda não eram muito más, mas já prometiam muito, pois gostavam de morder as criancinhas para chupar o seu sangue.

Tinham sido postas cedo para dormir e estavam todas as sete estendidas numa cama enorme, cada uma com uma coroa de ouro na cabeça. Havia no mesmo quarto uma outra cama do mesmo tamanho, e foi nela que a mulher do Ogro deitou os sete meninos. Em seguida, foi deitar-se junto do marido.

O Pequeno Polegar tinha reparado que as filhas do Ogro traziam coroas de ouro na cabeça. Receoso de que o Ogro se arrependesse de não os ter matado logo, ele levantou-se no meio da noite e, pegando o seu gorro e o de seus irmãos, colocou-os com toda a cautela na cabeça das sete filhas do Ogro, depois de lhes tirar as coroas de ouro, que pôs na sua própria cabeça e na de seus irmãos, para que o Ogro pensasse que eles eram as suas filhas e as suas filhas, os meninos que ele queria matar. A coisa funcionou exatamente como ele havia imaginado, pois o Ogro, tendo acordado por volta da meia-noite, lastimou ter deixado para o dia seguinte o que poderia ter feito na véspera. Saltou, pois, bruscamente do leito e apanhou o seu facão, dizendo:

"Vamos ver como estão aqueles idiotinhas. Não deixemos para amanhã o que pode ser feito hoje".

Subiu, pois, às apalpadelas para o quarto das filhas e se aproximou do leito onde estavam os meninos; todos dormiam, menos o Pequeno Polegar, que sentiu muito medo quando a mão do Ogro tateou a sua cabeça, como tinha feito com seus irmãos. O Ogro percebeu as coroas de ouro e falou: "Com efeito, eu ia fazer um belo trabalho. Estou vendo que bebi demais ontem à noite." Em seguida, dirigiu-se ao leito de suas filhas e, ao apalpar os gorros em suas cabeças, disse: "Ah, aqui estão eles, os malandrinhos! Façamos o serviço com presteza." E assim falando, cortou sem titubear o pescoço de suas sete filhas. Muito contente com o seu feito, ele foi deitar-se de novo ao lado da mulher.

Assim que o Pequeno Polegar ouviu o Ogro roncar, ele acordou os irmãos e mandou que se vestissem rapidamente e o acompanhassem. Eles desceram silenciosamente até o jardim, pularam o muro e correram durante o resto da noite, sem parar de tremer e sem saber para onde iam.

Quando o Ogro acordou, disse à mulher: "Vá lá em cima e prepare aqueles malandrinhos de ontem." A Ogra muito se admirou da bondade do marido, não pondo em dúvida o que ele tinha querido dizer quando falou em preparar os meninos, acreditando que lhe dava ordem para vesti-los. Ela subiu ao quarto deles e grande foi o seu espanto ao ver suas sete filhas degoladas e mergulhadas numa poça de sangue.

Ela começou por desmaiar (pois é essa a primeira providência que tomam quase todas as mulheres em situações semelhantes). O Ogro, receando que a mulher demorasse muito a fazer o que havia mandado, subiu para ajudá-la, não tendo ficado menos espantado do que ela diante do pavoroso quadro que encontrou. "Oh, que foi que eu fiz!", gemeu ele. "Aqueles miseráveis vão me pagar, e vai ser agora mesmo."

Atirou um balde d'água na cara da mulher, e quando ela voltou a si ele lhe disse: "Traga-me depressa as minhas botas de sete léguas, para que eu possa pegá-los." E meteu o pé na estrada. Depois de ter corrido por todo lado, ele acabou por seguir o caminho por onde iam os pobres meninos, que já estavam a apenas cem passos da casa de seu pai. Eles avistaram o Ogro, que saltava de montanha em montanha e atravessava os rios com tanta facilidade como se fossem regatos.

O Pequeno Polegar, ao ver uma reentrância numa rocha perto dali, escondeu-se nela junto com os irmãos, sempre atento ao que o Ogro ia fazer. O gigante bastante cansado da longa caminhada que havia feito inutilmente (pois as botas de sete léguas cansam muito quem as usa), quis repousar um pouco, e por acaso foi sentar-se em cima da rocha onde os meninos estavam escondidos.

Como estava morto de cansaço, depois de repousar por algum tempo ele acabou por adormecer, começando logo a roncar de uma forma tão assustadora que os pobres meninos sentiram o mesmo pavor que tinham sentido quando ele ameaçara cortar-lhes o pescoço com o seu facão. O Pequeno Polegar ficou um pouco menos assustado e recomendou aos irmãos que corressem para casa o mais depressa possível enquanto o Ogro dormia, e não se preocupassem com ele próprio. Os irmãos aceitaram o seu conselho e logo alcançaram a casa de seus pais.

O Pequeno Polegar aproximou-se, então, do Ogro e tirou-lhe cautelosamente as botas, calçando-as imediatamente. As botas eram muito grandes, mas como eram encantadas tinham o dom de aumentar ou diminuir o seu tamanho, de acordo com a perna de quem as calçasse. Assim sendo, elas se ajustaram às pernas do Pequeno Polegar como se tivessem sido feitas para ele.

Ele foi direto à casa do Ogro e lá encontrou a mulher dele chorando junto de suas filhas degoladas. "O seu marido está em grande perigo", disse o Pequeno Polegar. "Ele foi capturado por um bando de assaltantes, que juraram matá-lo se ele não lhes entregar todo o seu ouro e toda a sua prata. No momento em que eles encostavam o punhal na sua garganta, o seu marido me viu e me suplicou que viesse avisar a senhora da situação em que ele se encontra e lhe dizer para me entregar tudo o que há aqui de valor, sem esquecer nada, porque do contrário eles o matarão sem piedade. Como tudo tem de ser feito muito depressa, ele quis que eu calçasse sua bota de sete léguas para me desincumbir dessa missão, e também para a senhora não pensar que estou mentindo".

Apavorada, a boa mulher entregou-lhe imediatamente tudo o que possuía, pois aquele ogro, embora gostasse de comer crianças, era muito bom marido. O Pequeno Polegar, carregado com todas as riquezas do Ogro, dirigiu-se à casa de seu pai, onde foi recebido com grande alegria.

Há muita gente que não concorda com o final desta história, sendo de opinião que o Pequeno Polegar nunca roubou todas essas coisas do Ogro, e também nunca lhe passou pela cabeça calçar suas botas de sete léguas, que só serviam para o Ogro correr atrás das criancinhas. Os que pensam assim garantem saber disso de boa fonte, por terem até mesmo comido e bebido na casa do lenhador. Segundo eles, quando o Pequeno Polegar calçou as botas do Ogro, ele correu à corte, onde sabia que precisavam de alguém para trazer notícias de um exército que se encontrava a duzentas léguas dali, e do resultado de uma batalha que havia sido travada. Dizem eles que o Pequeno Polegar foi procurar o rei e lhe disse que, se quisesse, poderia trazer-lhe notícias do exército antes do fim do dia. O rei prometeu-lhe uma grande soma de dinheiro se ele conseguisse fazer isso. O Pequeno Polegar trouxe as notícias naquela mesma tarde. E tendo ficado conhecido por causa dessa primeira corrida, ele passou a ter tudo o que queria, pois o rei pagava a ele muito bem para levar suas ordens ao exército; além disso, uma infinidade de damas dava-lhe tudo o que ele pedia para que lhes trouxesse notícias de seus namorados. E era com esse serviço que ele ganhava mais dinheiro.

Algumas mulheres o encarregavam de levar cartas para seus maridos, mas pagavam tão mal e eram tão poucas, que ele nem se importava com o que ganhava com isso.

Depois de trabalhar nesse ofício de correio por algum tempo e de ter amealhado uma boa fortuna, ele voltou para a casa do pai. É impossível descrever a alegria que todos tiveram ao vê-lo de novo. Graças a ele, a família passou a viver na abastança; ele tratou de ajudar ao pai e aos irmãos, estabelecendo para todos eles novos ofícios, ao mesmo tempo que não se esquecia de satisfazer cuidadosamente os seus próprios desejos.

COMENTÁRIO

Este conto já existia certamente em francês, antes de Perrault, que foi buscar também na tradição o nome de seu herói. Quanto à história propriamente dita, ela pode ser encontrada, em variadas versões em alemão (*Jeannot & Margot*, GRIMM, nº 15), em albanês (HAHN, 164, 165), em sueco (CAVALLIUS, p. 14.26), em húngaro (STIER, p. 43), em sérvio (WUK, nº 35), em napolitano (*Nennillo & Nennilla*, BASILE, Jorn. V, Nov. 8), em catalão (*O Filho Caçula*, MILA Y FONTANALS, nº 7).

Os ingleses têm o seu *Tom Thumb*, que entre nós tem não propriamente a sua imitação mas o seu correspondente sob o nome de Tom Pouce, de P.-J. Stahl. Eles têm também *Tomalin, Tamlane, Tommel-Finger, Jaik the giant-killer* e *Tom Hickathrift*, todos decalcados no Daumesdick, no Daüling e no Daümerling dos alemães.

A força e a elevada estatura trazem segurança, e esta muitas vezes degenera em desprezo pelos fracos. Parece que os pequenos se tornam vítimas predestinadas. A falta de confiança que têm neles próprios pode tirar-lhes a coragem e, ao incutir-lhes o medo, talvez os embruteçam ou os tornem loucos.

A estatura média determina uma sorte mediana. Quando as pessoas têm a altura do comum dos homens, misturam-se com os outros sem ser particularmente notados.

Contos De Perrault

Em contraposição, é natural que uma criatura mofina e que parece, por sua pequenez, não ter tido ainda tempo de crescer ou então que lhe falta a força interior necessária para que se desenvolva normalmente, constitua um espetáculo interessante, caso seja, apesar de sua pequenez, uma criatura completa. No momento em que essa pessoa é vista, a surpresa inicial se transforma em comicidade se as suas pretensões a levarem a fazer um esforço inútil e acima de suas forças; a sua impotência para alcançar uma meta elevada demais nos faz sorrir. Inversamente, ela ganha toda a nossa simpatia se consegue ultrapassar nossas previsões; o obstáculo vencido tem um valor proporcional ao esforço feito. Que dizer, então, se à força de inteligência e habilidade a pessoa sobrepuja dificuldades que pareciam a todo mundo formidáveis, tremendas? O prazer dos contrastes é uma das emoções mais reais e mais fortes.

Assim é que, entre os poetas antigos, a infância dos deuses e dos heróis se presta à criação de muitas lendas cujo encanto se origina na precocidade de suas ações. Numa obra grega, de um arcaísmo ingênuo — o hino de Homero a Mercúrio — o filho de Maia, "nascido pela manhã, ao meio-dia já tocava cítara e à tarde derrubava os bois de Apolo". É bem verdade que o hinógrafo, um pouco preocupado por ter feito as coisas caminharem tão depressa, recoloca essas aventuras no quarto dia de nascimento do menino, que ele nos apresenta esgueirando-se para fora do berço, saindo a correr pelo campo, e logo dialogando com uma tartaruga antes de matá-la, para fazer de sua carapaça o bojo de uma lira; pouco depois, ele degola o velho Argos.

Segundo Teócrito, Hércules, com a idade de dez meses, dormia sobre um escudo quando chegaram duas serpentes enviadas por Juno para devorarem o menino-deus. Ele agarrou-as pela garganta, repleta de veneno, e as esmagou.

Em Rabelais, Gargantua, "tão logo nasceu, não chorou como fazem as outras crianças: *Bué, bué, bué...* ao invés bradou em altas vozes: *beber, beber, beber...* como se convidando todo mundo a beber e com tal força que foi ouvido em toda a região de Beusse e de Bibarás". Correndo Pantagruel o risco de se ferir em seu berço, "os que cuidavam dele amarraram-no com grossos cabos, iguais aos da grande nave francesa ancorada no porto de Grace, na Normandia". Mas um enorme urso, que seu pai, Gargantua, criava veio incomodar o jovem Pantagruel. "Ele se desvencilhou dos ditos cabos, agarrou o senhor Urso e o fez em pedaços, como a um frango. De onde podeis acreditar piamente no que diz Nicolas de Lyra do *Psautier* onde está escrito: *Et Og regem Basan*, que, sendo o referido Og ainda pequeno, era tão forte e tão robusto que se tornava necessário prendê-lo com correntes de ferro ao seu berço". Certa ocasião, Pantagruel, "com grande desembaraço, saiu levando o seu berço nas costas, como uma tartaruga trepando numa muralha", e foi assim que apareceu, de improviso, na sala onde Gargantua oferecia um grande banquete a todos os membros de sua corte.

Os sacerdotes etruscos atribuíam a revelação de sua ciência sagrada a um deus-anão, Tagés. Na mitologia de todos os povos do Norte, os anões desempenham os mais importantes papéis, compensando com a sua destreza a inferioridade da sua estatura. Enquanto que os gigantes representam a força bruta, a matéria, os anões são o símbolo das faculdades do espírito e da sabedoria. Segundo os Edas, existe um povo anão, engenhoso e diligente, oriundo do pó da terra, que forja as armas dos deuses, cinzela os vasos de ouro para ornamentar os festins do céu e as joias destinadas a enfeitar as deusas, e fia e tece os ricos panos com os quais os habitantes do Olimpo gostam de se vestir.

Os escandinavos eram de opinião que os animais pequenos têm mais inteligência que os outros, e em suas fábulas são sempre eles que levam vantagem. Essa crença é encontrada também nos países do Oriente. O oitavo apólogo do *Touti Nama*, editado em Calcutá em 1801, narra a aventura de um elefante que havia destruído o ninho de um pardal, tendo sido por isso punido pela ave, auxiliada por outro pássaro, uma rã e uma abelha. O nosso La Fontaine não nos conta a história do leão vencido por um mosquito?

Por conseguinte, é perfeitamente admissível que o Pequeno Polegar tenha vencido o Ogro. É o nosso Ulisses derrotando um Polifemo gaulês, mas um Ulisses "nanico e enfezado" — como diziam os nossos avós — o Jean Nénete dos Wallons.

As "botas de sete léguas" são encantadas, como as do deus Loki, nas lendas da antiga Escandinávia. Assim, também, o tapete mágico adquirido pelo príncipe Ahmed, nas *Mil e Uma Noites*; o mesmo acontece com a poltrona do deus Dharmaradja, com o talismã de Salomão e o chapéu de Fortunatus —todos eles objetos que permitem cobrir distâncias prodigiosas.

A BELA ADORMECIDA DO BOSQUE

Era uma vez um rei e uma rainha que estavam muito desgostosos por não terem filhos — mais desgostosos do que se pode imaginar. Eles faziam tudo o que era possível no mundo para conseguir isso: banhavam-se em águas milagrosas, faziam promessas, peregrinações, mas nada dava resultado. Mas finalmente um dia a rainha engravidou e teve uma filha. No seu batismo foi feita uma linda festa, tendo a princesinha recebido como madrinhas todas as fadas que puderam ser encontradas no país (foram encontradas sete), a fim de que cada uma delas desse à menina um dom, como era costume das fadas naquele tempo, e a princesa tivesse, assim, todas as perfeições imagináveis.

Depois das cerimônias do batismo, todos os convidados retornaram ao palácio do rei, onde ia ser realizado um grande banquete em honra das fadas. No lugar de cada uma, na mesa, havia sido colocado um estojo de ouro maciço contendo uma colher, um garfo e uma faca do mais puro ouro, guarnecidos de diamantes e rubis. Entretanto, no momento em que cada um tomava o seu lugar à mesa, todos viram entrar no salão uma velha fada, que não tinha sido convidada porque fazia mais de cinquenta anos que ela vivia isolada numa torre e todos julgavam que estivesse morta ou encantada. O rei mandou colocar prato e talheres para ela, mas não teve meios de lhe dar um estojo de ouro maciço, como o das outras, porque tinha mandado fazer só sete, para as sete fadas. A velha achou que tinha sido menosprezada, e resmungou entre dentes algumas ameaças. Uma das jovens fadas, que se achava perto dela, ouviu tudo e, imaginando que ela fosse atribuir algum dom maléfico à princesinha, resolveu, ao sair da mesa, esconder-se atrás de um reposteiro, a fim de ser a última a falar e poder assim reparar, na medida do possível, o mal que a velha viesse a fazer.

Enquanto isso, as fadas começavam a distribuir os dons para a princesa. A mais nova declarou que ela seria a mais bela criatura do mundo; a seguinte, que ela teria o espírito de um anjo; a terceira, que teria uma gra-

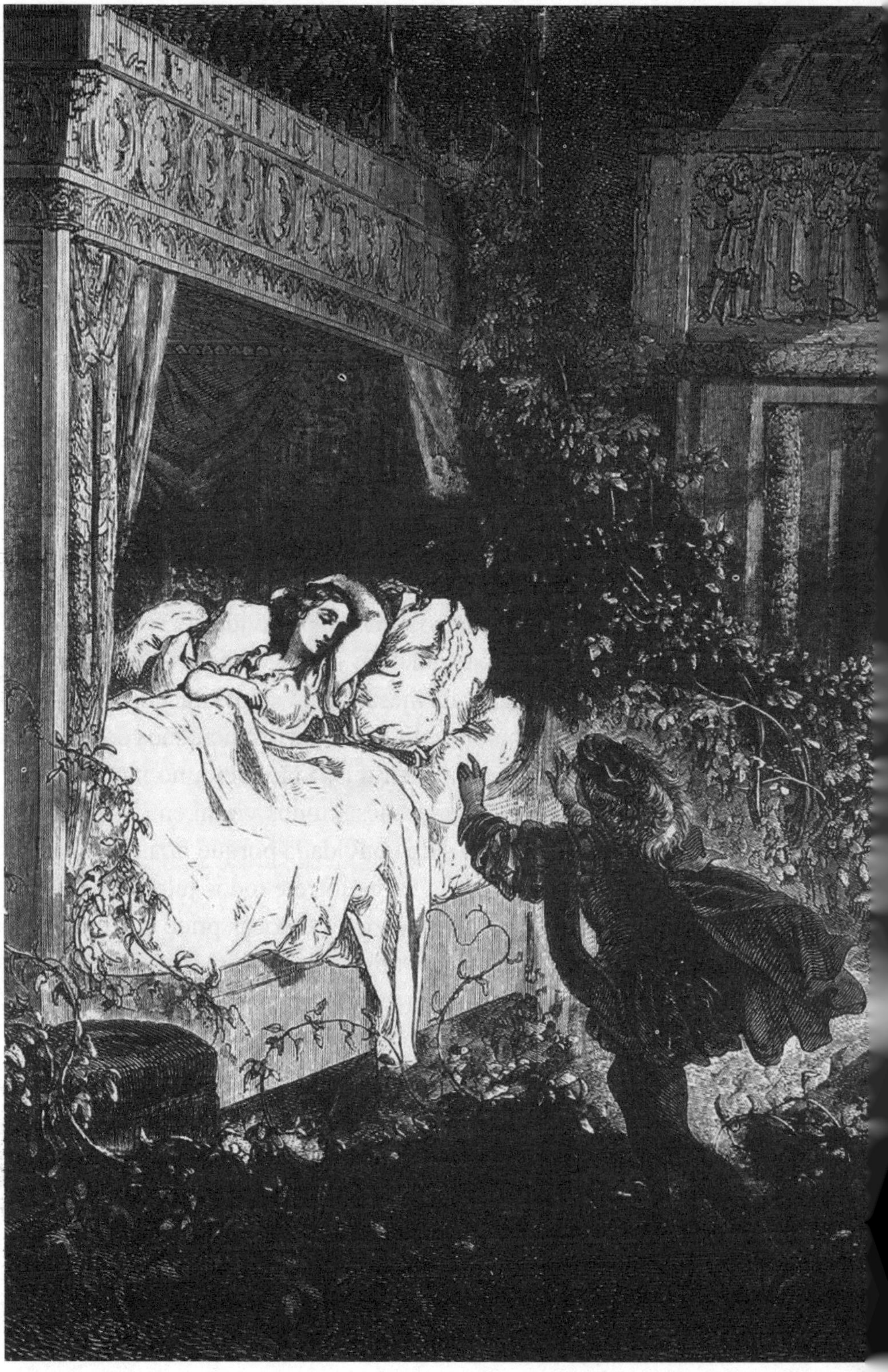

ça admirável em tudo o que fizesse; a quarta, que saberia dançar maravilhosamente; a quinta, que cantaria como um rouxinol; a sexta, que tocaria com perfeição qualquer tipo de instrumento. Chegou a vez da velha fada, e ela então, balançando a cabeça, declarou, mais por despeito do que por caduquice, que a princesa iria morrer ao espetar a mão com um fuso.

Essa terrível predição fez tremer todos os presentes, e não houve ninguém que não chorasse. Nesse momento, a jovem fada saiu de trás do reposteiro e falou bem alto estas palavras: "Podeis ficar tranquilos, rei e rainha, a vossa filha não morrerá disso. É verdade que não tenho poder bastante para desfazer inteiramente o que uma fada mais velha do que eu acaba de fazer. Contudo, em vez de morrer, a princesa mergulhará num sono profundo, que durará cem anos, no fim dos quais o filho de um rei virá despertá-la".

O rei, para evitar a desgraça anunciada pela velha, fez publicar um decreto no qual era proibido a qualquer pessoa usar um fuso para fiar, ou ter fusos em casa, sob pena de ser condenada à morte.

Passados quinze ou dezesseis anos, numa ocasião em que o rei e a rainha se achavam em uma de suas casas de campo, sucedeu que a jovem princesa, ao andar por todo o castelo, subiu até o alto de um torreão, onde havia um quartinho miserável, no qual se encontrava uma bondosa velhinha a fiar com a sua roca. A boa mulher não tinha ouvido falar na proibição do rei sobre o fuso de fiar. "Que é que a senhora está fazendo, minha velhinha?", indagou a princesa. "Estou fiando, minha bela menina", respondeu a velha, que não a conhecia.

"Oh, que lindo que é!", falou a princesa. "Como é que se faz? Deixe que eu experimente, para ver se consigo." Como era muito ativa e um pouco estouvada — de acordo, aliás, com o que as fadas haviam desejado — mal ela pegou o fuso espetou-o na mão e caiu desmaiada.

A boa velhinha, bastante assustada, grita pedindo socorro. Vem gente de todos os lados. Jogam água no rosto da princesa, afrouxam a sua roupa, dão-lhe tapas nas mãos, friccionam sua fronte com água da Rainha da Hungria. Nada, porém, a faz voltar a si.

Foi então que o rei, que tinha subido ao torreão atraído pelos gritos, recordou a predição da fada e, convencido de que aquilo tinha de acontecer, já que as fadas assim haviam determinado, mandou que a princesa fosse levada para o mais belo quarto do palácio e colocada num leito forrado com uma colcha bordada com fios de ouro e prata. Dir-se-ia que ali estava um anjo, tão linda era ela. Seu desmaio não tinha feito desaparecer suas belas cores; suas faces estavam rosadas, os lábios cor de coral. Apenas os seus olhos se mantinham fechados, mas uma suave respiração podia ser ouvida, o que indicava que ela não estava morta.

O rei ordenou que a deixassem dormir em paz, até que a hora do seu despertar chegasse. A boa fada que lhe tinha salvado a vida, condenando-a a dormir cem anos, encontrava-se no reino de Mataquim, a doze mil léguas dali, quando aconteceu o acidente com a princesa; foi, porém, avisada no mesmo instante por um anãozinho que tinha botas de sete léguas (com essas botas a pessoa podia andar sete léguas com cada passo). A fada partiu imediatamente e, uma hora depois, foi vista chegando numa carruagem de fogo, puxada por dragões.

O rei ofereceu-lhe a mão para ajudá-la a descer da carruagem. Ela aprovou tudo o que ele tinha feito, mas, como era muito previdente, achou que quando a princesa acordasse ia sentir-se muito só naquele castelo tão grande. Vejam o que ela fez: tocou com a sua varinha de condão em tudo o que havia no castelo (menos no rei e na rainha) — nas governantes, damas de honra, camareiras, cortesãos, oficiais, mordomos, cozinheiros, ajudantes de cozinha, guardas, porteiros, pajens, escudeiros; tocou, também em todos os cavalos que estavam nas baias, e nos palafreneiros; nos enormes cães de guarda e na pequena Pouffle, a cachorrinha de estimação da princesa, deitada ao lado dela na cama. No momento em que todos foram tocados pela varinha mágica, eles adormeceram e só iriam acordar no mesmo dia em que a princesa acordasse. Até as perdizes e os faisões que estavam assando nos espetos adormeceram, e o fogo também.

Tudo isso aconteceu num minuto. As fadas não levavam muito tempo para fazer o seu trabalho.

Então o rei e a rainha, depois de darem um beijo na sua amada filha, sem que ela despertasse, deixaram o castelo e mandaram publicar um edital proibindo qualquer pessoa de se aproximar do castelo. Essa proibição não era necessária, pois em quinze minutos cresceu ao redor do parque do castelo uma enorme quantidade de árvores grandes e pequenas, de arbustos e espinheiros que se entrelaçavam uns nos outros, formando tudo um tal emaranhado que nem bicho nem gente conseguiria passar ali. De sorte que não se avistava mais nada a não ser o topo das torres do castelo, e mesmo assim só de muito longe. É bem provável que a fada, além do mais, tenha posto o lugar sob sua vigilância, a fim de que a princesa, durante o seu sono, não fosse incomodada por curiosos.

Ao fim de cem anos, o filho do rei que reinava então ali, e não era parente da princesa adormecida, foi caçar um dia por aquelas bandas e ficou curioso de saber que torres eram aquelas que apareciam acima daquela mata tão fechada. As pessoas do lugar lhe responderam de acordo com o que tinham ouvido falar. Uns diziam que eram de um velho castelo que abrigava fantasmas; outros, que todos os bruxos do país faziam ali suas reuniões. A opinião mais comum era que ali morava um ogro e que ele levava para o castelo todas as crianças que conseguia pegar, para poder comê-las à vontade, sem que ninguém jamais tivesse conseguido segui-lo, pois só ele tinha o poder de abrir caminho através do bosque.

O príncipe não sabia em que acreditar, quando um velho camponês tomou a palavra e disse: "Meu príncipe, há mais de cinquenta anos ouvi meu pai dizer que havia nesse castelo uma princesa tão linda como nunca se viu igual; que ela devia dormir ali cem anos, e que seria despertada pelo filho de um rei, para o qual ela estava reservada".

Ao ouvir isso, o jovem príncipe ficou muito animado e, sem pensar duas vezes, decidiu que seria capaz de acabar com aquele mistério. E, levado pelo amor e pela glória, resolveu naquele mesmo instante ver o que havia por trás de tudo aquilo. Mal começou ele a avançar na direção do bosque, todas as grandes árvores, os arbustos e os espinheiros foram-se afastando para deixá-lo passar. Ele foi seguindo por uma ampla alameda, em cujo final se achava o castelo. Passou pelo portão, mas, para surpresa sua, notou que nenhum dos seus acompanhantes tinha podido segui-lo, pois as árvores se tinham juntado de novo após a sua passagem. Continuou a andar. Um príncipe jovem e enamorado é sempre valente. Entrou num enorme pátio, e tudo o que viu ali era para fazê-lo gelar de medo. O silêncio era terrível; a imagem da morte se fazia presente em toda parte. Viam-se corpos estendidos de homens e animais, parecendo mortos. No entanto, ele percebeu, pelo nariz rubro e as bochechas vermelhas dos guardas, que eles estavam apenas adormecidos. Suas taças, onde ainda se viam algumas gotas de vinho, mostravam claramente que tinham estado bebendo quando adormeceram.

Ele atravessa um grande pátio pavimentado de mármore, sobe a escada e entra na sala dos guardas, que estavam todos enfileirados, com a carabina no ombro e roncando a mais não poder. Passa por várias salas, cheias de cavalheiros e damas, todos adormecidos, uns de pé, outros sentados. Entra num quarto todo dourado e vê sobre uma cama, cujas cortinas estavam afastadas, o mais belo quadro que seus olhos tinham contemplado até então: uma princesa que parecia ter quinze ou dezesseis anos e cuja beleza resplandecia com uma luz quase divina. Ele se aproxima, trêmulo e cheio de admiração, e se ajoelha perto dela.

E então, como havia chegado ao fim o encantamento, a princesa despertou e, olhando-o com ternura e bastante ousadia, já que o via pela primeira vez, disse-lhe: "É você, meu príncipe? Você me fez esperar muito". O príncipe, encantado com essas palavras, e mais ainda com a maneira como tinham sido ditas, não sabia como mostrar a ela a sua alegria e a sua gratidão. Jurou-lhe que a amava mais do que a si mesmo, com palavras mal alinhavadas, o que as tornou ainda mais apreciadas: era pouca a eloquência mas muito o amor. Ele se sentia mais intimidado do que ela, o que não é de admirar: ela tinha tido bastante tempo para pensar no que iria dizer-lhe, pois tudo indica (embora a história não mencione o fato) que a boa fada lhe tenha proporcionado durante o seu prolongado sono o prazer de sonhos agradáveis. Enfim, fazia quatro horas que eles conversavam, sem que tivessem dito nem a metade das coisas que tinham a dizer um ao outro.

Enquanto isso, todo o palácio tinha despertado junto com a princesa, e cada um tratava de cuidar da sua obrigação. Como não estavam enamorados, o que eles estavam mesmo era mortos de fome. A dama de companhia, tão apressada quanto o resto, perdeu a paciência e chegou a gritar para a princesa que a comida estava na mesa. O príncipe ajudou-a a se levantar. Ela estava ricamente vestida, mas ele teve o cuidado de não lhe dizer que as suas roupas eram do tempo da sua avó. A verdade é que nem por isso ela estava menos bela.

Os dois foram para um salão rodeado de espelhos e ali cearam, servidos pelos criados da princesa. Os violões e os oboés tocaram peças lindas, mas antigas, já que fazia cem anos que não eram tocados por ninguém. Depois da ceia, o capelão, sem perda de tempo, casou os dois na capela do castelo, e a dama de honra levou-os para o quarto nupcial.

Eles dormiram pouco, pois a princesa não tinha muita necessidade de sono. Pela manhã, o príncipe a deixou e retornou à cidade, onde seu pai devia estar preocupado com sua ausência.

O príncipe disse a ele que se perdera na floresta quando caçava, tendo passado a noite na choupana de um carvoeiro, que lhe dera para comer queijo e pão preto. O rei seu pai, que era um homem bom, acreditou em tudo, mas sua mãe não ficou muito convencida com a sua história, sabendo que ele tinha sempre uma desculpa a dar quando dormia duas ou três noites fora de casa. Ela estava certa de que o filho tinha alguma namorada. A verdade é que ele viveu com a princesa dois anos inteiros e teve dois filhos, sendo que o primeiro, que era uma menina, recebeu o nome de Aurora, e o segundo, um menino, o nome de Dia, porque era mais belo ainda do que sua irmã. Por várias vezes, para levá-lo a se explicar, a rainha disse ao príncipe que ele precisava arrumar a sua vida, mas ele jamais teve coragem de confiar a ela o seu segredo. Embora a amasse, ele a temia, porque a mãe pertencia à raça dos ogros e o rei só se casara com ela por causa de sua grande riqueza. Falava-se mesmo à boca pequena na corte que ela tinha as mesmas inclinações dos ogros e que, quando via criancinhas, precisava fazer um esforço terrível para não se atirar sobre elas. Por isso, o príncipe jamais quis contar a ela o seu segredo.

Mas quando o seu pai morreu, ao fim de dois anos, e ele se tornou rei, o príncipe declarou publicamente que se tinha casado e foi buscar, com grande pompa, a rainha sua mulher no seu castelo. Ela foi recebida festivamente na capital do país, onde chegou acompanhada de seus dois filhos.

Passado algum tempo, o rei partiu para guerrear contra o imperador Cantalabutte, seu vizinho. Deixou a regência do reino à rainha sua mãe, recomendando-lhe que cuidasse muito de sua mulher e de seus filhos. Ele deveria passar o verão inteiro em combate. Logo que ele partiu, sua mãe mandou a nora e os netos para uma casa de campo no meio de um bosque, para poder satisfazer mais facilmente seus horríveis desejos. Poucos dias depois ela foi também para lá e, certa noite, disse ao mordomo: "Amanhã quero comer no almoço a pequena Aurora". — "Oh, majestade...", falou o mordomo. — "É isso que eu quero", disse a rainha (no tom de uma ogra que está ansiosa para comer carne fresca), "e quero comê-la acebolada".

O pobre homem, vendo que era inútil contrariar uma ogra, pegou o seu facão e subiu ao quarto da pequena Aurora, que tinha na época quatro anos e ao vê-lo veio correndo e rindo lançar-se ao seu pescoço, pedindo-lhe bombons. Ele começou a chorar, a faca lhe caiu das mãos; desceu então ao pátio interno do castelo, onde cortou o pescoço de um cordeirinho e preparou um molho tão saboroso que a sua patroa afirmou jamais ter comido nada tão gostoso. Ao mesmo tempo, ele levou a pequena Aurora para a sua casa, que ficava no fundo do pátio, e a entregou à sua mulher, pedindo-lhe que a escondesse ali.

Oito dias depois, a perversa rainha disse ao seu mordomo: "Quero comer no jantar o pequeno Dia". Ele não disse nada, resolvido a enganá-la como da outra vez. Foi procurar o menino e o encontrou com um pequeno florete na mão, brincando de esgrimir com um macaquinho. Ele tinha apenas três anos. O mordomo levou-o para sua mulher, que o escondeu junto com a pequena Aurora. E em lugar do pequeno Dia, ele preparou um cabritinho bem tenro, que a ogra achou delicioso.

Tudo foi muito bem até aí. Mas uma noite a malvada rainha disse ao mordomo: "Quero comer a rainha com o mesmo molho dos meninos". Foi então que o pobre mordomo desesperou de conseguir enganá-la mais uma vez. A jovem rainha já passara dos vinte anos, sem contar os cem anos que ela tinha dormido. Sua pele já estava um pouco dura, apesar de ainda alva e bela. E como encontrar entre os animais do castelo um que tivesse uma pele tão dura assim? Ele tomou a decisão, para salvar a própria pele, de cortar mesmo o pescoço da rainha, e subiu para o seu quarto disposto a fazer a coisa de uma vez. Encheu-se de coragem e entrou. Não queria, porém, apanhá-la de surpresa e lhe contou, com todo o respeito, qual era a ordem que havia recebido da rainha-mãe. "Corte, corte", disse ela, oferecendo-lhe o pescoço. "Execute a ordem que lhe deram; assim irei rever os meus filhos, meus pobres filhinhos que tanto amei". Ela julgava que tivessem sido mortos, quando lhe foram tirados sem nenhum aviso.

"Não, não, senhora", falou o pobre mordomo, emocionado. "A senhora não vai morrer, mas também não vai deixar de rever os seus filhos. Eles estão na minha casa, onde os escondi. Enganarei de novo a rainha, oferecendo-lhe em seu lugar uma corça". Ele a levou imediatamente para a sua casa, deixando que abraçasse os filhos e chorasse com eles, depois foi preparar a corça, que a rainha comeu no jantar com muito apetite, pensando ser a sua nora. Sentia-se muito satisfeita com a sua maldade, e se preparava para dizer ao rei, quando voltasse, que lobos enfurecidos tinham devorado sua mulher e seus filhos.

Numa tarde em que ela percorria, como de costume, os pátios e terreiros do castelo, na esperança de poder sentir o cheiro de carne fresca, ela ouviu o choro do pequeno Dia num dos alojamentos dos criados, porque sua mãe queria dar-lhe umas palmadas por ter feito uma travessura. Ouviu também a pequena Aurora pedir perdão pelo irmão. A ogra reconheceu a voz da rainha e dos meninos; furiosa por ter sido enganada, ela ordenou logo na manhã seguinte, com uma voz terrível que fez tremer todo mundo, que fosse colocada no centro do pátio uma grande tina cheia de sapos, cobras e lagartos, para dentro dela jogar a rainha e seus filhos, o mordomo, a mulher dele e a sua auxiliar. Deu ordem também para que todos fossem trazidos com as mãos atadas às costas.

Todos já estavam lá, com os carrascos prontos para jogá-los dentro da tina, quando o rei, que ninguém esperava que voltasse tão cedo, entrou no pátio a cavalo. Tinha viajado noite e dia, mudando os cavalos, e ao ver aquele horrível espetáculo perguntou, aturdido, o que significava tudo aquilo. Ninguém teve coragem de lhe dizer, mas a ogra, enfurecida pelo que tinha acontecido, mergulhou de cabeça dentro da tina e foi devorada num segundo pelos horríveis bichos que ela mesma mandara colocar lá dentro. O rei não deixou de se entristecer um pouco: afinal ela era sua mãe. Mas logo se consolou com sua linda mulher e os seus filhos.

COMENTÁRIO

Este conto, o mais poético de nossa coletânea compõe-se de duas partes, que sem dúvida eram originariamente duas narrativas distintas. É digno de nota, entretanto, que elas se acham igualmente englobadas numa só história no livro napolitano de Basile (*Pentamerone*, (Jorn. V, nov. 5), em que os nomes das duas crianças, Sol e Lua, lembram também os do conto francês. A segunda parte da narrativa — em que a ogra se prepara para comer as duas crianças, que são salvas pelo cozinheiro — lembra um grande número de lendas, entre as quais uma transcrita por Heródoto, que mencionamos mais adiante. Falemos inicialmente da primeira parte, que diz respeito diretamente à *Bela adormecida do bosque*.

Os estudiosos alemães não põem em dúvida que a história tenha um fundo mítico. Essa bela princesa adormecida, que unicamente um ser predestinado poderá tirar de seu sono encantado, parece a eles tratar-se claramente da Terra, que adormece no inverno e que o Sol reanima com uma carícia, restituindo-lhe o primitivo esplendor ao desposá-la. Essa mesma lenda é encontrada nos *Edas*. Brynhild dorme dentro de um círculo de fogo intransponível, que só se abre para Sigurd; foi Odin que, desgostoso com a Valquíria, a picou com um espinho (o fuso do nosso conto) e a fez mergulhar num sono encantado, ao qual Sigurd está destinado a pôr um fim (ver os antigos Edas, VIII, 42-44; IX, 1-5). Ora, Sigurd, segundo a observação dos estudiosos, representa o Sol.

A fada que se vinga de não ter sido convidada por meio de uma maldição (cujo efeito é atenuado por uma outra fada) aparece em uma infinidade de contos. Trata-se, segundo se diz, de um dos tipos mitológicos aos quais se atribui uma origem antiquíssima. Os gregos tinham a fábula de Éris (a Discórdia), furiosa também por não ter sido convidada para as núpcias de Tétis e Peleu. Na maioria das vezes, porém, em sua mitologia, esse tipo assume uma forma particular, a de uma divindade que se ofende por não lhe terem sido feitos os mesmos sacrifícios que aos outros deuses. Nossas fadas se assemelham mais particularmente às Parcas, que também comparecem aos nascimentos e concedem ao recém-nascido alguns dons ou predizem a sua sorte. É assim que elas agem, por exemplo, no nascimento de Meleagro. As fadas, que são as Parcas célticas assim como as Normas são as Parcas escandinavas, aparecem comumente em número de três em nossos poemas da Idade Média, sendo dotadas muitas vezes dos mesmos poderes que exibem em nossas histórias. Citaremos apenas um exemplo. Um poeta artesiano do século XIII, Adam de la Halle, legou-nos, sob o título de *Jeu de la Feuillée*, uma obra muito original, em que ele próprio entra em cena com um desembaraço e uma verve inigualáveis. Ele nos apresenta *três fadas* que vieram presidir ao seu nascimento e foram convidadas por seus pais para um jubiloso festim. Duas delas fizeram-lhe presentes "gentis", mas a terceira, Dona Magloire, descontente por verificar que, ao contrário do que ocorria com suas companheiras, não havia uma faca entre os seus talheres, lançou sobre Adam uma praga que, segundo dizem, o perseguiu a vida toda. É por isso que até hoje se diz de uma pessoa azarada que ela foi dotada pela Fada das Pragas.

Uma outra característica de nosso conto, que se prestaria a inúmeras comparações, é a fatalidade proclamada nele, a impossibilidade de se escapar de um oráculo anunciado, sejam quais forem as precauções tomadas.

Oito ou nove séculos antes da era cristã, Hesíodo nos descreve uma jovem cumulada de dons pelos deuses, à semelhança do que fizeram no futuro as fadas com a Bela Adormecida:

Contos De Perrault

... "pai dos homens e dos deuses sorriu e ordenou ao ilustre Vulcano que modelasse sem demora um corpo, com argila misturada com água; que o dotasse de força e voz humana e fizesse dele uma virgem cuja resplandecente beleza fosse igual à das deusas imortais. Júpiter ordena ao mesmo tempo a Minerva que a instrua nas prendas femininas e a ensine a tecer os finos tecidos. Ordena à bela Vênus que lance sobre sua cabeça a graça, a sedução e o invencível encanto que fere e consome.

"Assim ele falou. Todos obedecem ao seu rei Júpiter, filho de Saturno. Logo, junto com a Terra, a abóbada celeste cria a semelhança de uma virgem pudica, de acordo com o pensamento do senhor do Olimpo. Minerva, a deusa dos olhos azuis, dá-lhe um cinto e um adereço. As Graças e a poderosa Persuasão colocam-lhe colares de ouro; as Horas, de lindos cabelos, coroam-na com flores da primavera.

"Finalmente, ela recebeu de Mercúrio o dom da palavra; e como tivesse recebido presentes de todos os habitantes do Olimpo, foi-lhe dado o nome de Pandora".

Essa Pandora iria ser o flagelo dos homens. É que, maliciosamente, Mercúrio, pela vontade de Júpiter, lhe havia incutido sub-repticiamente, sob tantas aparências ilusórias, a mentira e a astúcia. No conto, a fada maldosa não tem essa cruel malícia; a sorte que ela lança sobre o recém-nascido não passa de uma manifestação de rabugice. Júpiter é um celerado, que se diverte às custas dos pobres seres humanos.

Os gregos contam que Epimênides, um filósofo do sexto século antes da nossa era, teve em sua infância uma aventura semelhante à da Bela Adormecida. Um dia, fatigado pelo calor e a caminhada, ele adormeceu numa grota e ali permaneceu em letargia pelo prazo de cinquenta e sete anos (DIÓGENES DE LAERTE, ed. de Ménage, I. p. 29).

De outra parte, a *Lenda Dourada* de Jacques de Voragine, arcebispo de Gênova no século XIII, contém a seguinte história dos sete irmãos Dormentes, irmãos pelo nascimento, companheiros na fé e, todos juntos, por um milagre especial, apóstolos extraordinários do dogma:

"Os sete Dormentes nasceram na cidade de Éfeso. O imperador Décio, que perseguia os cristãos, ao chegar a Éfeso ordenou que se erguessem templos no centro da cidade, a fim de que todos viessem oferecer sacrifícios junto com ele. E mandou trazer todos os cristãos, não lhes deixando outra escolha senão adorar os seus ídolos ou morrer. O terror se espalhou de tal forma que o amigo renegava o amigo, o pai, o filho, e o filho, o pai. E havia na cidade sete cristãos: Maximiliano, Malchus, Marciano, Dênis, João, Serapião e Constantino. Recusando-se a oferecer sacrifícios aos ídolos, eles permaneciam em suas casas, onde se dedicavam a jejuns e orações. Foram levados à presença de Décio e acusados, e diante dele se professaram cristãos. O imperador disse-lhes que lhes concedia algum tempo para que reconsiderassem o que iriam fazer. Eles, porém, aproveitaram esse prazo para distribuir seus bens entre os pobres, depois recolheram-se ao Monte Celio e decidiram manter-se escondidos ali. Quando um deles descia à cidade para buscar algo de que precisavam, disfarçava-se de médico. Tendo Décio retornado a Éfeso, de onde se ausentara por algum tempo, ele deu ordens para que os sete fossem procurados e forçados a oferecerem sacrifícios. Malchus, que se achava então na cidade, encheu-se de pavor e correu para junto de seus companheiros, informando-os da cólera do imperador. Todos sentiram um grande temor; Malchus, então, entregou-lhes os pães que havia trazido para que, fortalecidos com esse alimento, eles enfrentassem a luta com mais coragem. Depois de se alimentarem, sentados ali, chorando e conversando entre soluços, eles acabaram adormecendo, pela vontade de Deus. Os pagãos os procuraram sem conseguir encontrá-los, tendo Décio ficado bastante irritado ao ver que eles tinham escapado. Mandou buscar os pais deles e ameaçou-os de mandar matá-los se não revelassem o que sabiam. Eles responderam que seus filhos tinham distribuído seus bens entre os pobres mas que não sabiam onde eles se achavam. Décio, imaginando que estivessem escondidos numa caverna, mandou tapar a sua entrada com uma enorme pedra, a fim de que eles morressem de fome. E muito tempo depois, quando Décio e toda a sua raça já não existiam mais — trezentos e setenta e dois anos depois — no trigésimo ano do reinado do imperador Teodósio, surgiu uma heresia — a dos que negavam a ressurreição dos mortos. E o piedoso imperador Teodósio, amargurado com o fato de estar a fé sendo assim atacada em seu reinado, recolheu-se aos seus aposentos no palácio, durante vários dias, a derramar lágrimas e a se castigar com o cilício. Deus, desejando consolá-lo e reanimar a fé, chamou de novo à vida os sete mártires. Inspirou a um habitante de Éfeso a ideia de mandar construir naquela mesma montanha um redil para os seus rebanhos. E tendo os operários aberto a caverna, os irmãos adormecidos acordaram; acreditando que o seu sono durara apenas uma noite, eles perguntaram cheios de inquietação a Malchus o que era que Décio havia decidido a respeito deles. E Malchus respondeu: "O imperador ordenou que nos procurassem, para obrigar-nos a oferecer sacrifícios aos seus ídolos." E Maximiliano disse: "Deus sabe que jamais ofereceremos sacrifícios." E exortando os companheiros recomendou a Malchus que voltasse à cidade, comprasse mais pão e se informasse sobre as medidas que o imperador tinha tomado. Malchus apanhou cinco moedas e saiu da caverna, ficando muito surpreso ao ver as pedras. Dirigiu-se timidamente para uma das portas da cidade, espantando-se ao ver acima dela a imagem da cruz. Foi até outra porta, e viu a mesma coisa; logo se deu conta de que acontecia o mesmo em todas as portas, e se imaginou presa de um sonho. Entrou em seguida na cidade, esfregando os olhos, foi até a padaria e se espantou ainda mais ao ouvir as pessoas falarem em Jesus Cristo. "Como pode ser", ele se perguntava, "se ontem ninguém ousava pronunciar o nome de Jesus Cristo, e hoje todos falam nele com toda a tranquilidade? Acho que não estou mais em Éfeso, e sim numa outra cidade." Tendo procurado informar-se, ficou sabendo que se achava mesmo em Éfeso, e se sentiu confuso. Entrou na padaria, e quando apresentou o seu dinheiro as pessoas pareceram surpresas, e disseram que aquele moço tinha encontrado um tesouro antigo. Malchus, ao vê-los conversando entre si, imaginou que pretendiam levá-lo ao imperador; atemorizado, ele pediu-lhes que o deixassem em paz, dizendo-lhes que podiam ficar com os pães e o dinheiro. Mas eles, detendo-o, falaram: "Quem és tu, que encontraste um tesouro dos antigos imperadores? Mostra-nos onde fica e nós o dividiremos contigo e te esconderemos." Malchus se sentia tão aterrorizado que não sabia o que lhes responder. Vendo que ele se calava, eles passaram-lhe uma corda no pescoço e o levaram pelas ruas até o centro da cidade. E logo se espalhou a notícia de que um moço havia encontrado um tesouro. O povo todo se reuniu à sua volta; ele procurava convencê-los de que não tinha achado nada. Ninguém o reconhecia, e ele, lançando os olhos à sua volta para ver se avistava um de seus pais ou parentes, que julgava ainda vivos, não via nenhum rosto que lhe fosse familiar — e se sentia enlouquecer. São Martim, bispo da cidade, e o governador Antipater, tendo tomado conhecimento do caso, ordenaram que o trouxessem à sua presença sem lhe fazer mal, chamando também os padeiros. Quando o conduziam à igreja, ele julgou que estava sendo levado ao imperador. O bispo e o governador perguntaram-lhe onde havia achado o tesouro oculto; ele respondeu que não havia achado nada e que aquelas moedas eram seu patrimônio. Indagado sobre qual era a sua cidade, ele disse: "Sou desta cidade, se aqui é Éfeso." O governador falou: "Manda vir teus pais, a fim de que eles confirmem tuas palavras." Ele disse o nome dos pais, e como nenhum deles fosse conhecido, disseram-lhe que ele era um impostor. O governador falou: "Como queres que eu acredite que é de teus pais que vem este dinheiro, se ele traz uma data distante de nós trezentos e setenta e sete anos e remonta ao início do reinado do imperador Décio, não tendo a menor semelhança com a nossa moeda atual? Pretendes, pois, enganar os anciãos e os sábios de Éfeso. Assim sendo, mandarei submeter-te ao rigor das leis até que reveles a descoberta que fizeste." Malchus replicou: "Eu vos conjuro, em nome do Senhor, a responder o que vou perguntar-vos, e logo responderei ao que me perguntardes. Que fim levou Décio, que era desta cidade?" O bispo respondeu: "Meu filho, não existe mais um imperador com esse nome, e aquele assim chamado já morreu há muitos anos." Malchus disse então: "Tudo o que estou ouvindo me espanta cada vez mais, e vós não iríeis acreditar no que eu dissesse. Segui-me, porém, e vos levarei aos meus companheiros, que estão no Monte Celio; acreditareis neles. Ontem, nós fugimos por causa da tirania de Décio." O bispo falou ao governador: "É uma visão que Deus quer revelar por intermédio desse moço." Eles o seguiram, pois, juntamente com um bando de pessoas da cidade. Malchus entrou na caverna, para procurar os companheiros; o bispo seguiu-o e encontrou no meio das pedras algumas cartas seladas com dois sinetes de prata, e as leu para o povo; viram os mártires assentados dentro da caverna, e seus rostos tinham a frescura das rosas, e todos se prosternaram e renderam glória a Deus. O bispo e o governador enviaram uma mensagem a Teodósio, concitando-o a vir sem demora para testemunhar um milagre sem igual. E o imperador, erguendo-se das cinzas, sobre as quais gemia coberto por um saco, partiu depressa de Constantinopla para Éfeso. E todos os habitantes foram ao seu encontro e subiram junto com ele até a caverna. E tão logo os santos viram o imperador, seus rostos resplandeceram como o sol. E o imperador rendeu graças a Deus, abraçou os mártires e lhes disse: "Eu vos vejo como se visse o Senhor quando ressuscitou Lázaro." E Maximiliano respondeu: "Crê em nós, pois, por causa da fé, Deus nos ressuscitou antes do grande dia da ressurreição, a fim de que possas crer firmemente na ressurreição dos mortos. E assim como a criança fica no seio de sua mãe e vive sem sentir nenhum sofrimento, assim também nós vivemos sem sofrimento, enquanto adormecidos." E quando ele acabou de dizer essas palavras, os sete deixaram pender a cabeça e entregaram a alma ao Senhor. E o imperador, levantando-se, curvou-se sobre eles e os beijou chorando. E tendo mandado fazer sarcófagos de ouro para neles depositar seus corpos, os sete lhe apareceram nessa mesma noite e lhe disseram que até então tinham repousado na terra e que ele devia deixá-los na terra até que o Senhor os ressuscitasse de novo. O imperador ordenou então que fosse ornamentada a caverna com pedras preciosas, mandando informar a todos os bispos sobre o que se tinha passado ali, a fim de fortalecer no povo a fé na ressurreição. Dizem que eles dormiram durante trezentos e setenta e dois anos, mas não há certeza disso, pois ressuscitaram no ano do Senhor de quatrocentos e quarenta e oito, e Décio reinou durante um ano e três meses no ano de duzentos e cinquenta e dois; de sorte que eles não dormiram senão cento e noventa e seis anos."

    Após o relato desse milagre, será interessante transcrever um longo episódio da "elegante, deliciosa, melíflua e agradável História do mui nobre, vitorioso e excelentíssimo Rei da Grã-Bretanha, PERCEFOREST, fundador do *franc-palais* e do templo do soberano Deus." (Paris, 1528, 3 vol. in-folio). E será muito interessante porque se encontram nele analogias surpreendentes entre um velho romance aristocrático e o conto de Perrault. Limitar-nos-emos, entretanto, a uma ligeira análise, para poupar espaço e, sobretudo, por temor de ofender aos espíritos delicados: a imaginação gótica dava-se liberdades bastante pesadas.

    Mais ou menos no meio da história do rei Perceforest, pois, o interesse se desvia do herói principal para um herói secundário, Troylus. Esse cavaleiro, ao vagar pelo litoral da Escócia, encontra alguns forasteiros, aos quais indaga sobre as razões de sua vinda a uma terra tão longínqua.

Um deles responde que haviam partido da Zelândia com destino à Grã-Bretanha, mas que tinham tomado a rota errada. Esse contratempo lhes foi muito desagradável e prejudicial, já que traziam a incumbência de seu soberano, o rei da Zelândia, de lhe levar sem demora o seu filho, presentemente na Grã-Bretanha, o qual devia assistir o pai num infortúnio ocorrido na família. "Zelandina, a filha de nosso monarca", disse o estrangeiro, "retomou outro dia da Grã-Bretanha, depois de assistir às festas do nobre rei Perceforest. Mas dois dias depois adveio-lhe algo tão espantoso que chega a ser quase inacreditável. Pois, segundo ouvi contar, quando se achava na companhia de suas aias ela adormeceu tão profundamente que não mais acordou, nem comeu, nem bebeu, sem que no entanto se alterasse o seu corpo ou a sua cor." (Cap. XLVI.) Troylus ficou surpreso com o golpe que acaba de atingir Zelandina. Surpreso, disse eu? Consternado é o termo, pois ele ama a jovem princesa. Contudo, dissimula o interesse que sente, e, sem se fazer conhecer pelos navegantes, convence-os a levá-lo à Zelândia, afirmando-lhes ser possuidor de um certo segredo capaz de fazer cessar o sono da jovem. Chegando à Zelândia, ao se dirigir à corte de Zelandin ele fica sabendo, pelo caminho, de novas particularidades, em especial de todas as circunstâncias que cercaram o início da letargia de Zelandina. No dia mesmo de sua volta da Grã-Bretanha sucedeu que — foi o que lhe contaram — "ela tomou das mãos de uma de suas aias uma roca e pôs-se a fiar o linho; contudo, mal iniciou o trabalho, ela, vencida pelo sono, deitou-se.

"Seu pai recorrera em vão a todos os meios para despertá-la; não obtendo nenhum sucesso, resolveu mantê-la encerrada numa torre inexpugnável, que tinha apenas uma janela a uma grande altura do solo e uma única entrada por um subterrâneo secreto, que só ele conhecia."

Troylus, ajudado por Vênus, conseguiu aproximar-se da bela adormecida. Com efeito, Zéfiro ergueu-o do solo sobre suas asas até a altura da janela e, cerca de uma hora depois, foi buscá-lo amavelmente para trazê-lo à terra. Nesse intervalo, o cavaleiro teve tempo de sobra para contemplar, à luz "de uma candeia ardente e mui brilhante, no centro do quarto", a jovem estendida "sobre um leito mui rico e nobre, como se fosse uma rainha, pois o teto e as cortinas eram mais alvos que a neve." (Cap. XLVIII.)

Esse sono durou ainda nove meses após essa visita secreta; afinal terminou e Troylus pôde desposar sua querida Zelandina. A maldição cessou no momento em que a princesa se tornou mãe. Seu filho, ao lhe chupar o dedo, tinha atraído e feito saltar a lasca de madeira da roca, por causa do encantamento.

"A história da sogra que quer comer as crianças, as quais o cozinheiro substitui por um cabrito, é a da condessa Brayêre e que é contada em Auvergne. Ela habitava o castelo de Pont-Gibaut e sua lembrança ainda é execrada no lugar." DE RÉSIE, *Histoire des sciences occultes*, I, 328.

Charles Perrault

Muito antes que o mundo tomasse conhecimento da condessa Brayere, Heródoto contou aos gregos a seguinte lenda sobre uma das grandes famílias reinantes na Ásia:

Astíages, rei dos Medos, havia casado sua filha Mandane com um cidadão persa bastante obscuro, chamado Cambyse. Passado algum tempo o rei chamou-a e a manteve junto de si, com o propósito de matar a criança que ela estava esperando, por terem os magos, intérpretes dos sonhos, tido uma visão e predito que o filho que nascesse da princesa o destronaria um dia e reinaria em seu lugar. "Como desejasse o rei precaver-se contra esse evento, tão logo veio ao mundo Cyrus, o filho de Mandane, Astíages chamou Hárpago, seu parente e dentre todos os Medos o mais ligado a ele, recaindo sobre seus ombros a responsabilidade de todos os negócios do reino, e lhe disse: "Hárpago, executa fielmente a ordem que te vou dar, sem tentar me iludir, e não penses que não estejas cavando a tua própria sepultura se tentares obedecer a outro senhor que não eu. Toma a criança que acaba de nascer de Mandane, leva-a para tua casa, mata-a e em seguida a enterra onde achares melhor." "Senhor", respondeu Hárpago, "sempre procurei agradar-vos, e farei o possível para jamais vos ofender. Se desejais que o menino morra, obedecerei fielmente as vossas ordens, em tudo o que depender de mim."

"Após essas palavras, o menino, envolto em ricos tecidos, foi colocado nas mãos de Hárpago, para que o fizesse morrer.

"Ele foi para casa com lágrimas nos olhos e contou à sua mulher tudo o que Astíages lhe havia dito. "Qual é a tua decisão?", indagou ela. "Não executarei as ordens de Astíages", respondeu ele, "ainda que isso deixe o rei mais exaltado e mais furioso do que está agora; não obedecerei à sua vontade; não me prestarei absolutamente a esse crime. Não, de nenhuma maneira farei isso, e por várias razões: primeiro, porque sou parente da criança; segundo, porque Astíages tem idade avançada e não tem filhos homens. Se, após a sua morte, a coroa passar à princesa sua filha, cujo filho ele hoje quer que eu mate — que me restará senão a perspectiva de um terrível perigo? Pela minha própria segurança, é necessário que a criança morra, mas que isso seja feito pelas mãos de alguém a serviço de Astíages, e não por obra das minhas."

"Assim falou ele, e imediatamente mandou um mensageiro chamar um dos vaqueiros de Astíages, o qual, conforme ele sabia, costumava levar os seus rebanhos para as melhores pastagens e nas montanhas mais infestadas de animais selvagens. Seu nome era Mitradate; sua mulher, escrava de Astíages, assim como ele, chamava-se Spaco. Os pastos aonde ele levava os bois do rei ficavam no sopé de uma montanha, no rumo de Pont-Euxin. Por aqueles lados, perto de Sapires, a Média é uma região acidentada, coberta de montanhas e de florestas, enquanto que o resto do reino é plano e descampado. Tendo chegado o vaqueiro, que fora chamado com urgência, Hárpago falou-lhe da seguinte maneira: "Astíages ordena que leves esta criança e a abandones na montanha mais deserta, a fim de que ela pereça rapidamente. Mandou-me dizer-te também que, se não a fizeres morrer e salvares a sua vida de uma forma ou de outra, ele te fará perecer pelo mais cruel dos suplícios. Isso não é tudo: ele quer ainda que eu próprio me certifique de que tu cumpriste a sua ordem."

"Mitradate pegou o menino, sem perda de tempo, e voltou à sua choupana pelo mesmo caminho. Enquanto ele se ausentara, sua mulher, que estava em vias de tornar-se mãe, deu à luz um menino, por uma concessão particular dos deuses. Todos dois se inquietavam um pelo outro: o marido, temendo pela mulher cuja gravidez chegara a termo; a mulher, pelo marido, já que Hárpago não tinha o hábito de mandá-lo chamar. No momento em que ele voltou, sua mulher, emocionada por vê-lo de volta quando menos esperava, foi a primeira a falar, querendo saber por que Hárpago o mandara chamar com tanta urgência.

"Minha mulher", disse ele, "mal entrei na cidade vi e ouvi coisas que bem gostaria de não ter visto nem ouvido, e prouvesse aos Deuses que elas jamais tivessem ocorrido a nossos amos! Toda a casa de Hárpago estava em pranto. Cheio de temor, entrei e vi no chão um menino que chorava e se debatia. Achava-se envolto em panos dourados e seus cueiros eram de várias cores. No instante em que me viu, Hárpago ordenou-me que levasse imediatamente o menino e o largasse abandonado na montanha "mais infestada de animais ferozes. Ele me assegurou que essa ordem tinha partido do próprio Astíages, e me fez terríveis ameaças caso eu deixasse de cumpri-la. Peguei, pois, o menino e o trouxe, julgando tratar-se de alguém de sua casa, pois jamais teria imaginado quem era o seu verdadeiro pai. Entretanto, fiquei admirado ao vê-lo coberto de ouro e de finos cueiros. Não o fiquei menos ao ver que a casa inteira de Hárpago estava em pranto. Finalmente, no caminho de volta fiquei sabendo pelo criado que me acompanhou até fora da cidade e que havia trazido o menino, que ele era filho de Mandane, filha de Astíages, e de Cambyse, e que Astíages ordena que o façam morrer. Aqui está o menino."

"Dizendo isso, Mitradate descobre a criança e o mostra à sua mulher".

"Encantada com sua robustez e beleza, ela agarra-se aos joelhos do marido e lhe suplica, com lágrimas nos olhos, que não abandone o menino. Ele responde que não sabe como evitar isso; que poderiam aparecer vigias da parte de Hárpago e que se ele não cumprisse as ordens seria morto da maneira mais cruel. Spaco, vendo que suas exortações não causavam a menor impressão no marido, retomou a palavra: "Já que não posso convencer-te", falou ela, "e que é absolutamente necessário que seja visto na montanha um menino abandonado, faz pelo menos o que te vou dizer. Nosso filho não chegou vivo ao mundo; leva-o para a montanha, e criemos como se fosse nosso o que é da filha de Astíages. Dessa maneira, ninguém poderá acusar-te de ter ofendido aos teus amos, e nós teremos tomado uma boa decisão: a criança morta terá uma sepultura real, e a outra não perderá a vida."

Charles Perrault

"O vaqueiro percebeu que, naquela conjuntura, sua mulher tinha razão, e seguiu imediatamente o seu conselho. Entrega a ela o menino que havia trazido para deixar morrer na montanha e pega o seu — o pequenino morto — coloca-o no berço do jovem príncipe com todos os seus paramentos e o deixa abandonado na montanha mais agreste. Três dias depois, tendo deixado o corpo sob a guarda de um dos que o ajudavam a cuidar dos rebanhos, ele foi até a cidade e, dirigindo-se à casa de Hárpago, disse-lhe que estava pronto para mostrar-lhe o cadáver do menino.

"Hárpago mandou que seus guardas mais fiéis acompanhassem o vaqueiro e, depois de ouvir o seu relato, providenciou para que fosse levado à sepultura o filho de Mitradate. Quanto ao jovem príncipe, Spaco cuidou dele e o criou. Ele se tornou conhecido pelo nome de Ciro; mas Spaco lhe havia dado outro nome qualquer."

CINDERELA
OU
O SAPATINHO DE CRISTAL

Era uma vez um fidalgo que se casou em segundas núpcias com a mulher mais orgulhosa e mais arrogante que já existiu até hoje. Ela tinha duas filhas com o mesmo temperamento seu e que se pareciam com ela em tudo. O marido, por seu lado, tinha uma filha que era a doçura em pessoa, e de uma bondade exemplar. Tinha herdado isso de sua mãe, que havia sido a melhor criatura do mundo.

Mal foi celebrado o casamento, a madrasta já começou a mostrar o seu mau humor. Ela não tolerava as boas qualidades da enteada porque faziam com que suas filhas parecessem ainda mais detestáveis. Por isso, obrigou a moça a fazer os trabalhos mais grosseiros da casa: era ela que lavava a louça e as panelas, que varria o quarto dela e das filhas. A moça dormia num quartinho no alto da casa, que servia de celeiro, e sua cama era um punhado de palha. Suas irmãs, ao contrário, dormiam em quartos assoalhados, com camas das mais modernas e elegantes, e grandes espelhos em que elas podiam mirar-se dos pés à cabeça. A pobre moça suportava tudo com paciência e não ousava queixar-se ao pai, sabendo que ele a repreenderia, pois era inteiramente dominado por sua mulher.

Depois que terminava o seu trabalho, ela se recolhia a um canto da chaminé, no meio das cinzas do borralho, o que fez com que passasse a ser chamada na casa de Borralheira. A irmã caçula, que não era tão maldosa quanto a mais velha, chamava-a de Cinderela. Apesar dos trapos que vestia, Cinderela era cem vezes mais bela do que suas irmãs com seus suntuosos vestidos.

Aconteceu que o filho do rei resolveu dar um baile, para o qual foram convidadas todas as pessoas importantes do lugar. As nossas duas senhoritas também foram convidadas, pois eram figuras de proa na cidade.

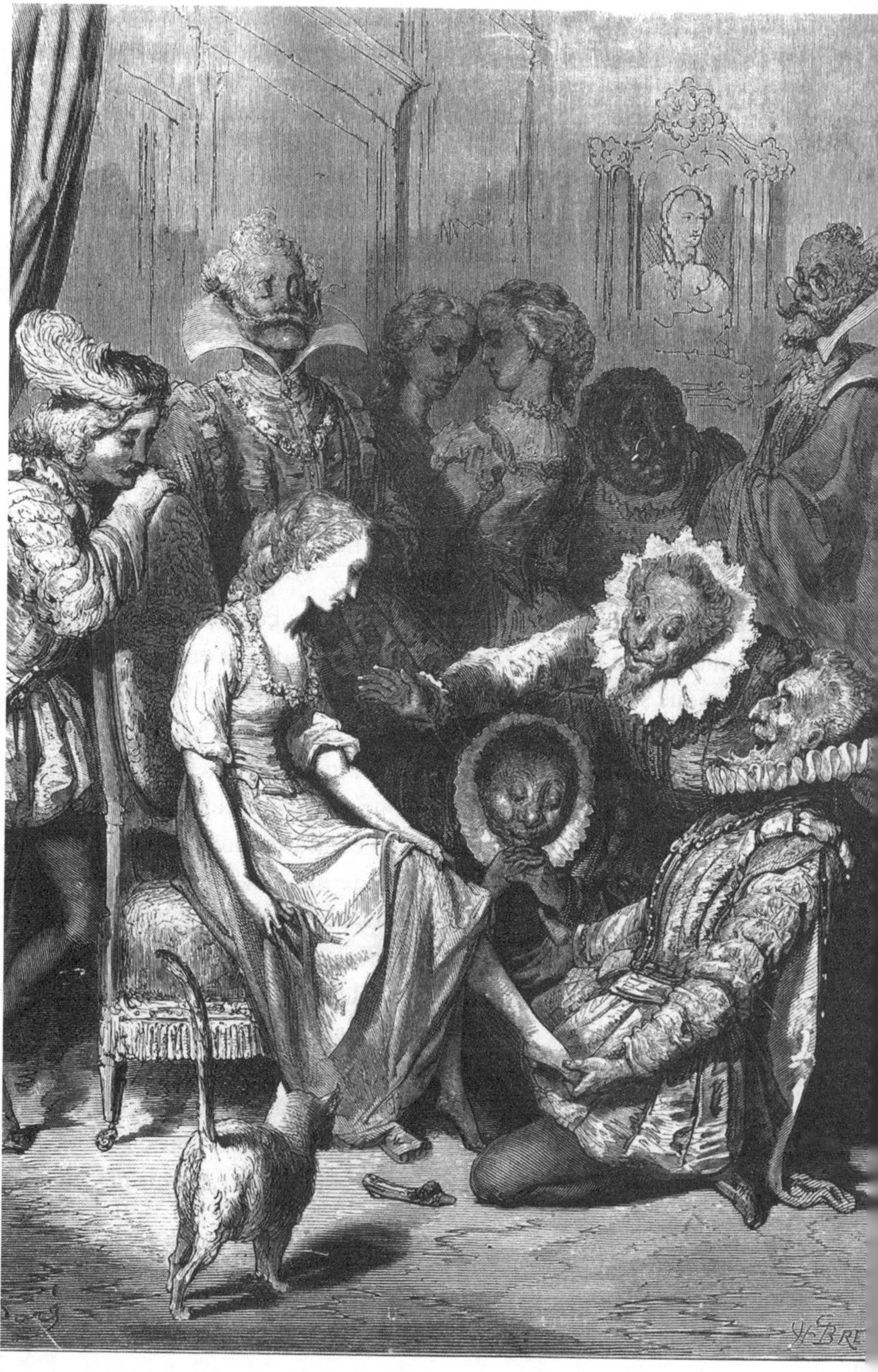

Muito satisfeitas, ei-las ocupadas em escolher os vestidos e os penteados que lhes assentavam melhor. O que significava mais trabalho para Cinderela, pois era ela que passava e engomava a roupa de baixo das irmãs. As duas não falavam em outra coisa a não ser na maneira como iriam vestir-se. "Eu", dizia a mais velha, "vou pôr o meu vestido de veludo vermelho enfeitado com renda da Inglaterra." — "E eu", falava a mais nova, "só tenho aquela minha saia simples, mas em compensação vou usar minha capa bordada de flores com fios de ouro e o seu fecho de brilhantes, que não é de se desprezar." A chapeleira foi convocada, para ajeitar-lhes os toucados, tendo sido encomendadas pintas de seda preta a uma boa artesã. Chamaram Cinderela para lhe pedir sua opinião, pois ela tinha muito bom gosto. A moça aconselhou-as o melhor que pôde e até se ofereceu para penteá-las, o que elas aceitaram prazerosamente.

Enquanto eram penteadas, elas falaram: "Cinderela, você gostaria de ir também ao baile?" — "Ai de mim, vocês estão brincando comigo", respondeu ela. "Não é isso o que me convém." — "Você tem razão", falaram as irmãs, "todo mundo ia rir se visse uma Borralheira no baile".

Qualquer outra que não fosse Cinderela teria feito nas duas um penteado mal feito; mas ela tinha bom coração e penteou-as com perfeição. As duas passaram dois dias sem comer, tal era a sua excitação. À força de puxar os cordões dos espartilhos, para tornar mais fina a sua cintura, elas arrebentaram mais de uma dúzia deles; e o dia inteiro ficavam diante do espelho.

Finalmente chegou o grande dia. Elas partiram para a festa e Cinderela ficou à porta, acompanhando-as com os olhos até perdê-las de vista.

Quando não as viu mais, ela começou a chorar. Sua madrinha, ao vê-la em lágrimas, quis saber o que tinha acontecido. "Eu queria muito... eu queria muito..." Ela chorava tanto que não conseguia falar mais nada. Sua madrinha, que era uma fada, disse: "Você queria ir ao baile, não é isso?" — "Ai, ai, queria sim!", respondeu Cinderela com um soluço. "Pois bem, se você se comportar bem, eu farei você ir." Levou Cinderela para o seu quarto e disse: "Vá até a horta e me traga uma abóbora". Cinderela foi depressa apanhar a abóbora mais bonita que encontrou e a trouxe para a madrinha, sem conseguir entender como aquela abóbora poderia ajudá-la a ir ao baile. A madrinha retirou toda a polpa da abóbora, deixando-a oca, depois tocou nela com sua varinha de condão e a abóbora se transformou imediatamente numa linda carruagem toda dourada.

Em seguida, foi dar uma olhada numa ratoeira e encontrou lá seis ratos bem vivos ainda. Mandou Cinderela desarmar a ratoeira e ia dando um golpe com a sua varinha em cada rato que saía. No mesmo instante, o rato se transformou num belo cavalo, e assim ela formou três lindas parelhas de cavalos com uma linda pelagem de um tom cinza da cor de rato.

Como estivesse encontrando dificuldade em arranjar um cocheiro, Cinderela lhe disse: "Vou ver se ainda há algum rato na ratoeira, aí poderemos fazer dele o cocheiro. — "Você tem razão, vá ver", falou a madrinha. Cinderela trouxe a ratoeira, onde ainda restavam três gordos ratos. A fada escolheu um dos três, que tinha uma respeitável barbicha, e depois de tocá-lo com a sua varinha transformou-o num rotundo cocheiro, dono dos mais belos bigodes já vistos até hoje.

Ela falou, em seguida: "Vá até a horta, e lá você encontrará seis lagartos atrás do regador". Mal Cinderela trouxe os lagartos, a madrinha transformou-os em seis pajens, com seus trajes recamados de galões, os quais subiram imediatamente para a parte de trás da carruagem e ali se postaram como se nunca tivessem feito outra coisa na vida.

A fada disse então a Cinderela: "Muito bem, aí está como você poderá ir ao baile. Está contente agora?" — "Estou, mas irei assim, com esta roupa horrível?" A madrinha tocou nela de leve com a sua varinha e no mesmo instante ela se viu metida dentro de um rico vestido bordado a ouro e prata e todo marchetado de pedrarias. Depois a madrinha lhe deu um par de sapatinhos que eram a coisa mais linda do mundo. Assim preparada, ela subiu para a carruagem, com a severa recomendação da madrinha de só ficar na festa até a meia-noite, avisando-a de que se demorasse um minuto a mais sua carruagem voltaria a ser uma abóbora, os cavalos voltariam a ser ratos e os pajens voltariam a ser lagartos; além disso, ela tornaria a ficar vestida de andrajos.

Ela prometeu à madrinha que deixaria o baile antes de soar a meia-noite. Não cabendo em si de contente, ela parte. O filho do rei, avisado de que tinha chegado uma ilustre princesa que ninguém conhecia, correu a recebê-la. Ofereceu sua mão para ajudá-la a descer da carruagem e a conduziu até o salão onde estavam os convidados. Fez-se então um grande silêncio, todos pararam de dançar e até os violões se calaram, de tal forma ficaram todos maravilhados com a grande beleza da desconhecida. Ouviam-se apenas murmúrios confusos: "Oh, como é linda!" O próprio rei, velho como era, não se cansava de contemplá-la e de dizer baixinho para a rainha que havia muito tempo ele não via uma criatura tão bela e amorável. Todas as damas puseram-se a examinar com toda a atenção o seu penteado e os seus trajes, para no dia seguinte copiá-los, contanto que pudessem encontrar tecidos tão belos quanto aqueles e artesãos suficientemente habilidosos.

O filho do rei instalou-a no lugar de honra e logo a seguir convidou-a para dançar. Ela dançava com tanta graça que ainda causou mais admiração. Foram servidos doces muito finos, dos quais o jovem príncipe nem provou, de tal maneira estava ocupado em admirar a moça. Ela foi sentar-se ao lado das irmãs e lhes fez mil e uma gentilezas, dividindo com elas as frutas que o príncipe lhe oferecera, o que as deixou muito espantadas, já que não a conheciam.

Quando faltavam quinze minutos para a meia-noite, Cinderela fez imediatamente uma grande reverência a todos os presentes e se retirou o mais depressa que pôde. Chegando à casa, foi procurar a madrinha e, depois de agradecer a ela, disse-lhe que gostaria muito de ir de novo ao baile, no dia seguinte, porque o filho do rei tinha pedido isso a ela. Como demorasse muito em contar à madrinha tudo o que tinha acontecido, suas irmãs chegaram e bateram à porta. Cinderela foi abrir. "Como vocês custaram a voltar!", falou ela, bocejando, esfregando os olhos e se espreguiçando, como se tivesse acordado naquele momento. Entretanto, não sentia nenhuma vontade de dormir depois que deixara a festa. "Se você tivesse ido ao baile", falou uma de suas irmãs, "iria gostar muito. Esteve lá uma princesa linda, a mais linda princesa que já existiu. Ela nos fez mil gentilezas e nos ofereceu frutas e doces".

Cinderela não cabia em si de contente. Perguntou o nome da princesa, mas as irmãs responderam que não a conheciam e que o filho do rei estava disposto a dar qualquer coisa no mundo para saber quem ela era. Cinderela sorriu e disse: "Ela era tão linda assim? Meu Deus, como vocês são afortunadas! Será que eu não poderia vê-la? Ai de mim! Por favor, senhorita Javotte, empreste-me o seu vestido amarelo, aquele que a senhorita usa todos os dias!" — "Ora veja", respondeu a senhorita Javotte, "quem você pensa que eu sou! Emprestar minhas roupas para uma Borralheira tão horrorosa! Só se eu fosse louca". Cinderela não se importou com essa recusa; ficou até satisfeita, pois ia ficar muito embaraçada se a irmã tivesse concordado em lhe emprestar o vestido.

No dia seguinte as duas irmãs foram para o baile, e Cinderela também, com um vestido ainda mais lindo do que o da primeira vez. O filho do rei ficou o tempo todo ao seu lado, sempre a lhe dizer palavras doces. A moça não se aborreceu em nenhum momento, e até se esqueceu da recomendação da madrinha, de sorte que só quando ouviu a primeira badalada da meia-noite é que se levantou e fugiu, com tanta rapidez quanto a de uma corça assustada. O príncipe correu atrás, mas não conseguiu segurá-la. Ela deixou cair um de seus sapatinhos, que o príncipe apanhou com toda a presteza. Cinderela chegou em casa esbaforida, sem carruagem, sem pajens e vestida com os seus velhos trapos. Nada havia restado de toda a sua magnificência a não ser um dos sapatinhos, já que o outro ela perdera. Os guardas do palácio foram interrogados se não tinham visto passar por eles uma princesa. Eles responderam que não passara por ali ninguém a não ser uma moça muito mal vestida, que parecia mais uma camponesa do que uma moça fina.

Quando as duas irmãs voltaram do baile, Cinderela quis saber se de novo elas se tinham divertido muito e se a bela dama estava lá. Elas disseram que sim, mas que ela fugira ao soar da meia-noite, e com tanta pressa que deixara cair um de seus sapatinhos, que era a coisa mais linda do mundo. Disseram ainda que o filho do rei apanhara o sapatinho e passara o resto da noite a contemplá-lo, sendo mais do que evidente que ele estava apaixonado pela linda dona do sapato.

Elas tinham dito a verdade, pois, passados alguns dias, o filho do rei mandou anunciar, ao som de trombetas, que ele se casaria com a moça cujo pé coubesse naquele sapatinho. Começou-se, pois, a experimentar o sapato primeiro nas princesas, depois nas duquesas e, por fim, em todas as mulheres da corte, mas em vão. O sapatinho foi levado então à casa das duas irmãs, que fizeram o possível para calçá-lo. Nada conseguiram, porém. Cinderela, que as observava e tinha reconhecido o seu sapato, disse, em tom de brincadeira: "Deixe ver se ele me serve!" As irmãs começaram a rir e a zombar dela, mas o cavalheiro que tinha trazido o sapatinho olhou bem para Cinderela e a achou muito bonita; disse então que era muito justo o que ela pedia e que ele tinha ordem de fazer a experiência com todas as moças. Fez Cinderela sentar-se e calçou nela com toda a facilidade o sapatinho, que se ajustou ao seu pé à perfeição. O espanto das duas irmãs foi grande, e maior ainda quando Cinderela tirou do bolso o outro sapatinho e o calçou. Nesse momento apareceu a madrinha, que, com um toque de sua varinha de condão nas roupas de Cinderela, fez com que se transformassem em trajes ainda mais esplendorosos do que os outros.

Foi então que suas irmãs a reconheceram como sendo a linda princesa que tinham visto no baile. Elas se atiraram aos seus pés para pedir perdão por todos os maus tratos que lhe tinham feito. Cinderela fez as duas se levantarem e disse, abraçando-as, que as perdoava de bom coração e lhes pedia que a amassem sempre. Ela foi levada ao palácio do jovem príncipe, em seu lindo vestido, e ele a achou mais bela do que nunca. Poucos dias depois eles se casaram. Cinderela, que tanto tinha de bela quanto de bondosa, levou as irmãs para o palácio e casou as duas, naquele mesmo dia, com dois ricos fidalgos da corte.

COMENTÁRIO

Não há conto mais difundido do que esse. Damos a seguir a versão da Cinderela alemã. Poderiam ser acrescentadas a ela a napolitana (BASILE, *Pentamerone*, jorn. I, novo 6), a norueguesa (ASBJØRNSEN E MOE, n.º 19), a húngara (STIER, p. 34 e seg. 3, a sérvia (WUKSTE-PANOVITCH, n.º 32), a catalã (MILÀ Y FONTANALS, n.º 6), etc., etc. Nas histórias originárias principalmente dos povos eslavos, escandinavos e finlandeses, é um rapaz que tem esse papel e traz o nome de *Cendrillon*. Evidentemente, é a um conto alemão desse gênero que diz respeito a alusão de Lutero em suas *Conversas à Mesa*: "Caim, esse ímpio criminoso, é um dos poderosos da terra, e o pobre Abel, tão bom e tão piedoso, é o Cendrillon de seu irmão, e até mesmo seu vassalo e seu escravo." Lutero, aliás como todos os seus contemporâneos na Alemanha, era muito familiarizado com a literatura infantil. (Ver Grimm, III, pp. 37 e 277).

Aqui está a forma como é apresentada a narrativa alemã:
"Era uma vez um homem muito rico, que tinha uma esposa que ele amava

muito. Ela caiu doente, e quando sentiu que o seu fim estava próximo chamou à sua cabeceira a sua filha única e lhe disse: "Minha filha, sê sempre obediente e boa, e o bom Deus não te abandonará; lá no alto eu velarei por ti." Após o quê ela cerrou os olhos e morreu. A pobre menina visitava todos os dias o túmulo da mãe, para chorar ali, e se manteve sempre obediente e boa. Quando chegou o inverno, a neve estendeu um manto branco sobre o túmulo; e quando o sol da primavera derreteu a neve o pai arranjou uma segunda esposa.

"A nova mulher trouxe com ela suas duas filhas, que eram alvas e belas externamente, mas negras e más de coração. Começou o infortúnio para a pobre órfã. "Como!", diziam elas. "Será que essa palerma vai ficar aqui na sala conosco? Quem quer comer pão, trate de ganhá-lo. Vamos, para a cozinha!" Elas tiraram-lhe seus lindos vestidos, enfiaram-lhe no corpo uma espécie de camisola de tecido grosseiro e pardacento e lhe deram tamancos para calçar. "Vejam agora a bela princesa!", disseram elas, às gargalhadas, e a mandaram para a cozinha. Ali ela era obrigada a labutar penosamente, da manhã à noite; levantava-se ao alvorecer, ia buscar água, acendia o fogo, cozinhava e lavava. Para completar, suas irmãs a apoquentavam de todas as maneiras, zombando constantemente dela e se divertindo, por exemplo, em jogar as ervilhas e as lentilhas no meio das cinzas, para obrigá-la a catá-las uma a uma, com as próprias mãos. À noite, exausta, ela não tinha uma cama onde se deitar, e se enrodilhava no meio das cinzas, junto ao fogo; e como estava sempre coberta de pó e de cinza, as irmãs a apelidaram de Cinderela (ou Borralheira).

"Um dia, em que o pai ia a uma grande feira, ele perguntou às suas duas lindas filhas o que desejariam que lhes trouxesse. "Lindos vestidos", disse uma. "Pérolas e brilhantes", disse a outra. "E tu, Cinderela, que é que tu queres?" "Pai", falou ela, "cortai e trazei para mim o primeiro ramo que roçar o vosso chapéu, no caminho." Ele comprou, pois, para as duas lindas filhas, belos vestidos, pérolas e brilhantes. Quando retornava, ao atravessar a cavalo um pequeno bosque, um ramo de aveleira roçou o seu rosto e atirou ao chão o seu chapéu. Ele cortou-o e o levou consigo. Cinderela ficou-lhe muito agradecida; foi até o túmulo de sua mãe, plantou ali o ramo e chorou tão copiosamente que suas lágrimas foram suficientes para regá-lo. O ramo brotou e se transformou numa bela árvore. Cinderela ia três vezes ao dia sentar-se à sua sombra, para chorar e orar, e toda vez um pássaro branco vinha pousar na árvore; e quando ela tinha um desejo, o pássaro fazia cair aos seus pés o que ela havia desejado.

"Ora, sucedeu que o rei anunciou uma festa que devia durar três dias e para a qual convidou todas as moças bonitas da região, devendo o seu filho escolher entre elas a sua esposa. As duas filhas da madrasta encheram-se de júbilo quando souberam que também iriam à festa; chamaram Cinderela e lhe disseram: "Vamos, penteia nossos cabelos, escova nossos sapatos e brune bem suas fivelas, pois nós vamos à festa no palácio do rei." Cinderela obedeceu; mas chorava, porque gostaria muito de ir também ao baile. Acabou pedindo à madrasta que lhe desse permissão para ir. "Ora veja!", respondeu a madrasta, "uma Borralheira como tu, coberta de cinza e de sujeira, querer ir à festa! Não tens roupa, nem sapatos, e queres dançar!" Mas Cinderela continuava as suas súplicas. A madrasta disse-lhe então: "Ouve, eu espalhei um monte de lentilhas no meio das cinzas; se dentro de duas horas conseguires recolocar todas elas de novo dentro da gamela, eu te levarei." A moça foi para a horta, bateu palmas e chamou:

> "Meus lindos pombinhos brancos,
> E minhas rolinhas belas,
> E todos os passarinhos
> Amigos de Cinderela,
> Venham, venham, venham todos
> Encher de novo a gamela."

"E eis que pela janela entram na cozinha dois pombos brancos, logo seguidos por rolinhas e, enfim, por todos os pássaros do céu, em bandos e esquadrilhas; e todos se puseram a trabalhar ao redor das cinzas. Os pombos bicavam valentemente, pic, pic, pic, pic, e todos os outros os acompanhavam, pic, pic, pic, pic, e assim iam pondo as lentilhas na gamela. Nem uma hora se passou e eles já tinham terminado, batido asas e voado. Então Cinderela pegou a gamela e a levou à madrasta, toda contente, imaginando que teria permissão para ir ao baile. Mas a madrasta falou: "Não, Cinderela, tu não tens roupa, tu não sabes dançar; serás motivo de troça." E como Cinderela começasse a chorar, ela disse: "Escuta, se conseguires em uma hora catar duas gamelas de lentilhas no meio das cinzas, eu te levo", pois, pensava ela, Cinderela jamais conseguirá fazer isso. E despejou as duas gamelas de lentilhas no meio das cinzas. A moça foi então até a horta, bateu palmas e gritou:

> "Meus lindos pombinhos brancos,
> E minhas rolinhas belas,
> E todos os passarinhos
> Amigos de Cinderela,
> Venham, venham, venham todos
> Encher de novo esta gamela."

"E eis que pela janela entraram na cozinha dois pombos brancos, logo seguidos por rolinhas e, enfim, por todos os pássaros do céu, em bandos e esquadrilhas; e todos se puseram a trabalhar ao redor das cinzas. Os pombos bicavam valentemente, pic, pic, pic, pic, e todos os outros os acompanhavam, pic, pic, pic, pic, e assim iam pondo as lentilhas na gamela. Nem uma hora se passou, e eles já tinham terminado, batido asas e voado. Então Cinderela pegou a gamela e a levou à madrasta, toda contente, imaginando que teria permissão para ir ao baile. Mas a madrasta falou:

"Tudo isso é inútil. Tu não irás, porque não tens com que te vestires e não sabes dançar. Tu nos envergonharias." Assim dizendo, ela virou-lhe as costas e partiu, acompanhada de suas orgulhosas filhas.

"Quando já não havia mais ninguém na casa, Cinderela foi para debaixo da aveleira, junto ao túmulo da mãe, e falou:

> "Vamos, arvorezinha, vamos
> Sacode bem os teus ramos
> E faz chover ouro e prata sobre mim."

"E logo o pássaro que estava pousado na árvore atirou-lhe um vestido bordado a ouro e prata, e sapatinhos de seda bordados de prata. Depressa ela vestiu o vestido e correu para a festa. Suas irmãs e a madrasta não a reconheceram, imaginando tratar-se de uma princesa estrangeira, tão linda estava ela em seu vestido de ouro e prata. Elas nem pensaram em Cinderela, julgando-a em casa, sentada junto à chaminé e catando os restos das lentilhas nas cinzas. Enquanto isso, o filho do rei aproximou-se da desconhecida, tomou-a pela mão e dançou com ela. Daí em diante não quis dançar com mais ninguém, e por isso não lhe largava a mão; quando alguém vinha convidar a bela moça para dançar, ele dizia: "Esta é a minha parceira."

"Ela dançou até a noite, e então disse que precisava voltar para casa. O filho do rei falou: "Deixai que vos acompanhe", pois ele queria saber onde morava aquela bela moça. Mas ao chegar à sua casa ela conseguiu escapar e se escondeu dentro do pombal. O filho do rei esperou até que o pai da moça chegasse, e então lhe disse que a bela desconhecida se escondera em seu pombal. O pai disse: "Será a Cinderela?" E mandou que lhe trouxessem um machado e uma machadinha para arrombar a porta do pombal. Mas não acharam lá ninguém. E quando entraram na casa, Cinderela estava encolhida junto das cinzas, metida em suas sujas roupas, à luz de uma bruxuleante candeia posta sobre o rebordo da chaminé. Ela havia saído do pombal pelos fundos e corrido até a aveleira, onde se tinha despojado de seus lindos trajes, colocando-os sobre o túmulo, tendo sido eles recolhidos pelos pássaros. Em seguida ela vestiu de novo sua grosseira camisola parda e foi sentar-se junto das cinzas.

"No dia seguinte, quando os pais e as irmãs voltaram à festa, Cinderela foi para debaixo da aveleira e falou:

> "Vamos, arvorezinha, vamos,
> Sacode bem os teus ramos
> E faz chover ouro e prata sobre mim."

"E o pássaro atirou-lhe um vestido ainda mais resplandecente que o da véspera. E quando, assim vestida, ela chegou ao baile, todos ficaram ofuscados pela sua beleza. O filho do rei a esperava, e tomando-a imediatamente pela mão não dançou com mais ninguém. Quando outros vinham convidar a bela moça para dançar, ele dizia: "Esta é a minha parceira". Ao chegar a noite, ela partiu, e o filho do rei a seguiu para saber onde ela ia; mas Cinderela escapou e se escondeu na horta, nos fundos da casa do pai. Ali havia uma linda e frondosa árvore, de cujos ramos pendiam esplêndidas peras. Ela subiu pela árvore acima, com a agilidade de um esquilo, e se ocultou tão bem entre a folhagem que o filho do rei não soube onde ela tinha ido parar. Ele esperou a volta do pai e lhe disse: "A bela desconhecida me escapou, e acho que está em cima desta pereira." "Será a Cinderela?", murmurou o pai consigo mesmo; mandou buscar um machado e derrubou a árvore, mas não havia ninguém nela. Quando chegaram em casa, lá estava Cinderela, como de costume, sentada no meio das cinzas; ela havia saltado da árvore pelo outro lado e entregado ao pássaro, debaixo da aveleira, os seus lindos trajes de festa, vestindo de novo sua camisola suja e pardacenta.

"No terceiro dia, quando os pais e as irmãs partiram, Cinderela voltou ao túmulo de sua mãe e falou para a aveleira:

"Vamos, arvorezinha, vamos,
Sacode bem os teus ramos
E faz chover ouro e prata sobre mim."

"E o pássaro atirou-lhe um vestido maravilhoso, tão belo como nunca se vira igual; e os sapatinhos eram de ouro. Quando, assim trajada, ela chegou ao baile, todos ficaram boquiabertos de admiração, e não sabiam o que dizer. O filho do rei dançou o tempo todo com ela, e se alguém vinha convidá-la para uma dança, ele dizia: "Esta é minha parceira".

"Ao chegar a noite, Cinderela quis ir embora, e o filho do rei a seguiu, mas ela lhe escapou como nos outros dias. Dessa vez, porém, o filho do rei havia-se valido de um estratagema: mandara passar nos degraus da escada um pouco de um pez, de forma que, quando Cinderela saiu correndo escada abaixo o sapatinho do pé esquerdo ficou grudado a um degrau. O filho do rei apanhou-o: era pequeno, mimoso e todo de ouro. No dia seguinte ele foi procurar o pai de Cinderela e disse: "Só me casarei com a moça a quem este sapatinho servir". As duas irmãs se encheram de alegria ao ouvirem isso. A mais velha pegou o sapatinho e foi para o seu quarto experimentá-lo, enquanto a mãe a observava. Mas o dedo grande do pé não entrava no sapato, que era muito pequeno. A mãe entregou-lhe então uma tesoura e falou: "Corta o dedo; quando fores rainha não terás necessidade de andar a pé." A filha cortou o dedo, forçou o sapato a entrar e, sufocando a dor, foi apresentar-se de novo ao filho do rei. Ele então aceitou-a como sua noiva, colocou-a sobre o seu cavalo e partiu com ela. Contudo, eles tinham de passar diante do túmulo, e na aveleira estavam pousados dois pombos, que falaram, à passagem do príncipe:

> "Príncipe, toma cuidado,
> Vira a cabeça e repara,
> Repara só no sapato,
> De sangue todo molhado;
> Ele é pequeno demais,
> E a moça é enganosa,
> Tua namorada formosa
> É a que ficou para trás."

"Ele então olhou para o pé da moça e viu o sangue escorrendo. Fez meia-volta com o cavalo e devolveu a falsa noiva à sua casa, declarando não ser aquela a verdadeira e que sua irmã devia experimentar o sapato. A outra foi para o seu quarto, a fim de fazer a tentativa; os dedos entraram facilmente, mas o calcanhar é que era muito grande. A mãe estendeu-lhe então uma faca e lhe disse: "Corta o calcanhar; quando fores rainha não terás mais necessidade de andar a pé." Ela cortou o calcanhar, forçou o pé a entrar e, sufocando a dor, foi apresentar-se de novo ao filho do rei. Ele então aceitou-a como sua noiva, colocou-a sobre o seu cavalo e partiu com ela. Contudo, eles tinham de passar diante do túmulo, e na aveleira estavam pousados dois pombos; quando o príncipe passou, eles falaram:

> "Príncipe, toma cuidado,
> Vira a cabeça e repara,
> Repara só no sapato,
> De sangue todo molhado;
> Ele é pequeno demais,
> E a moça é enganosa,
> Tua namorada formosa
> É a que ficou para trás."

"Ele então olhou para o pé de sua companheira, e viu que o sangue saía do sapato e subia num filete vermelho ao longo de sua meia branca. Ele fez meia-volta com o cavalo e devolveu a falsa noiva à sua casa. "Ainda não é esta", disse ele. "Não tendes outra filha?" "Não", respondeu o pai, "a não ser a da minha primeira mulher, a coitadinha da Cinderela, que fica lá toda suja, no meio das cinzas; mas não pode ser ela." O príncipe falou que a mandassem chamar, mas a mãe protestou: "Oh, ela é suja demais, não deve se apresentar." O príncipe tanto insistiu, porém, que Cinderela foi chamada. Ela lavou bem as mãos e o rosto, veio e saudou o filho do rei, que lhe estendeu o sapatinho de ouro. Ela sentou-se, então, sobre um escabelo, tirou do pé o grosseiro e pesado tamanco e calçou o mimoso sapatinho, que lhe serviu à maravilha. E quando se pôs de pé e o príncipe a olhou de frente, ele reconheceu a moça com quem tinha dançado e falou: "É esta a verdadeira noiva!" A madrasta e as duas irmãs ficaram trêmulas e pálidas de despeito; mas o príncipe pôs a Cinderela na garupa e partiu com ela. E ao passarem defronte da aveleira, os dois pombos disseram:

> "Príncipe, toma cuidado,
> Vira a cabeça e repara,
> Repara só no sapato,
> Ele já não está molhado,
> E não é pequeno demais;
> A moça não é enganosa,
> Tua namorada formosa
> É essa que aí está."

"E assim dizendo, eles deixaram a árvore e vieram pousar nos ombros de Cinderela, um à direita, outro à esquerda, e ali permaneceram.

"E quando se celebraram as núpcias, as duas irmãs compareceram, fingindo alegrar-se com a felicidade da irmã, mas na realidade estavam roídas de inveja. Na igreja, a mais velha postou-se à esquerda da noiva e a mais nova à direita; e cada um dos pombos furou um olho da que estava do seu lado. Ao saírem da igreja, a mais velha ficou à direita da noiva e a mais nova à esquerda; e cada um dos pombos furou o outro olho da que estava do seu lado. E assim elas foram castigadas por sua malvadez e falsidade, ficando cegas pelo resto de suas vidas."[4]

A odiosa tirania das irmãs de Cinderela faz lembrar os sofrimentos de Psique, no conto latino de Apuleio, assim como a ajuda que a moça oprimida recebe para executar as tarefas que lhe são prescritas pode ser encontrada também no final da narrativa intitulada Pele de Asno, que encerra os *Contes & joyeux devis* de Bonaventure Des Périers.

A seguinte e maravilhosa história pode ser lida numa compilação feita pelo grego Elien:

"Rhodope passa por ter sido a mais bela criatura do Egito. Um dia, quando ela se achava no banho, a Fortuna, que se compraz em produzir acontecimentos extraordinários e inesperados, concedeu-lhe um favor que ela merecia menos por seu caráter do que por sua beleza.

Enquanto Rhodope se banhava, e as aias punham tento em suas roupas, uma águia desceu como um raio sobre um de seus sapatos, apossou-se dele e o levou a Mênfis, até o local onde o rei Psamético pontificava em seu tribunal, deixando-o cair no colo do monarca. Psamético, maravilhado com a delicadeza e a pequenez do sapato, com sua elegância, e também com a atitude da ave, ordenou que se procurasse em toda parte a pessoa que o havia calçado. Tão logo Rhodope foi encontrada, ele a desposou."[5]

---

4 GRIMM, nº 21.
5 Histoires diverses, XIII, 33 (cf. STRABON, XVII, p. 808).

O MESTRE GATO
OU
O GATO DE BOTAS

Um moleiro deixou de herança aos seus três filhos nada mais se não o seu moinho, o seu asno e o seu gato. A partilha foi feita imediatamente, sem que fosse preciso chamar nem o notário, nem o procurador, pois os dois logo teriam consumido todo esse escasso patrimônio. O mais velho ficou com o moinho, o segundo com o asno e para o mais novo sobrou apenas o gato.

Este último não se consolava de ter recebido uma herança tão miserável. "Meus irmãos", dizia ele, "poderão ganhar a vida honestamente, trabalhando juntos; quanto a mim, depois que tiver comido o meu gato e fizer com sua pele um agasalho para minhas mãos, vou ter de morrer de fome.

O Gato, que ouviu tudo mas não se deu por achado, disse-lhe com toda a seriedade e compostura: "Não se preocupe, meu amo. A única coisa que o senhor tem a fazer é me arranjar um saco e mandar fazer para mim um par de botas, para que eu possa andar no meio do mato. Aí o meu amo vai ver que não foi tão mal aquinhoado como imagina". Embora o dono do Gato não acreditasse muito na sua conversa, ele já tinha tido oportunidade de ver o bichano usar de tantas artimanhas para apanhar ratos e ratazanas, como por exemplo ficar pendurado pelos pés ou então se esconder no meio da farinha para se fingir de morto, que não perdeu de todo a esperança de ser socorrido por ele em sua miséria.

Quando o gato recebeu o que tinha pedido, calçou as botas animadamente, colocou o saco às costas, segurando os seus cordões com as patas dianteiras, e meteu o pé no caminho, dirigindo-se a um campo agreste onde ele sabia haver uma grande quantidade de coelhos. Tendo colocado dentro do saco um pouco de farelo e de serralha, ele se estirou no chão como se estivesse morto e esperou que algum coelhinho novo e pouco enfronhado nas armadilhas deste mundo viesse meter-se dentro do saco para comer o que havia lá.

Mal acabou de se deitar, ele viu realizado o seu desejo. Um bobo de um coelhinho novo e atarantado entrou no saco, e o mestre Gato, puxando os cordões, prendeu-o lá dentro e o matou sem piedade.

Todo orgulhoso de sua proeza, ele dirigiu-se ao palácio do rei e pediu para vê-lo. Foi levado até os aposentos de sua majestade, e ao entrar ali fez a ele uma grande reverência e falou: "Majestade, aqui está um coelho do mato que o Marquês de Carabás (era o nome que lhe deu na telha inventar para o seu amo) me encarregou de trazer para presenteá-lo." "Diga ao seu amo que agradeço e que o seu presente me dá grande prazer", disse o rei.

Em outra ocasião ele escondeu-se num campo de trigo, deixando sempre o seu saco aberto, e quando duas perdizes se meteram lá dentro ele puxou os cordões e prendeu as duas. Em seguida foi presenteá-las ao rei, como tinha feito com o coelho do mato. O rei recebeu também com prazer as duas perdizes e mandou que dessem ao gato algo para beber.

O Gato continuou, assim, durante dois ou três meses, a levar de vez em quando para o rei uma caça qualquer em nome de seu amo. Um dia, ele ficou sabendo que o rei ia fazer um passeio pela beira do rio em companhia de sua filha, a princesa mais linda do mundo. Disse então ao seu amo: "Se o senhor seguir o meu conselho, sua fortuna está feita. A única coisa que terá de fazer é ir tomar banho no rio, no lugar que vou indicar. O resto deixe por minha conta."

O Marquês de Carabás fez o que o seu gato aconselhou, sem saber qual a razão de tudo aquilo. Enquanto ele se banhava no rio, o rei passou na sua carruagem. O Gato pôs-se então a gritar o mais alto que pôde: "Socorro! Socorro! O Marquês de Carabás está se afogando!" Ao ouvir esses gritos, o rei enfiou a cabeça na portinhola e, ao reconhecer o Gato que lhe tinha levado caça tantas vezes, ordenou à sua escolta que fosse depressa socorrer o Marquês de Carabás.

Enquanto o pobre marquês era retirado do rio, o Gato aproximou-se da carruagem e contou ao rei que quando o seu amo estava dentro d'água tinham aparecido alguns ladrões e roubado suas roupas, que o bobo tinha escondido debaixo de uma pedra, embora ele, o Gato, tivesse

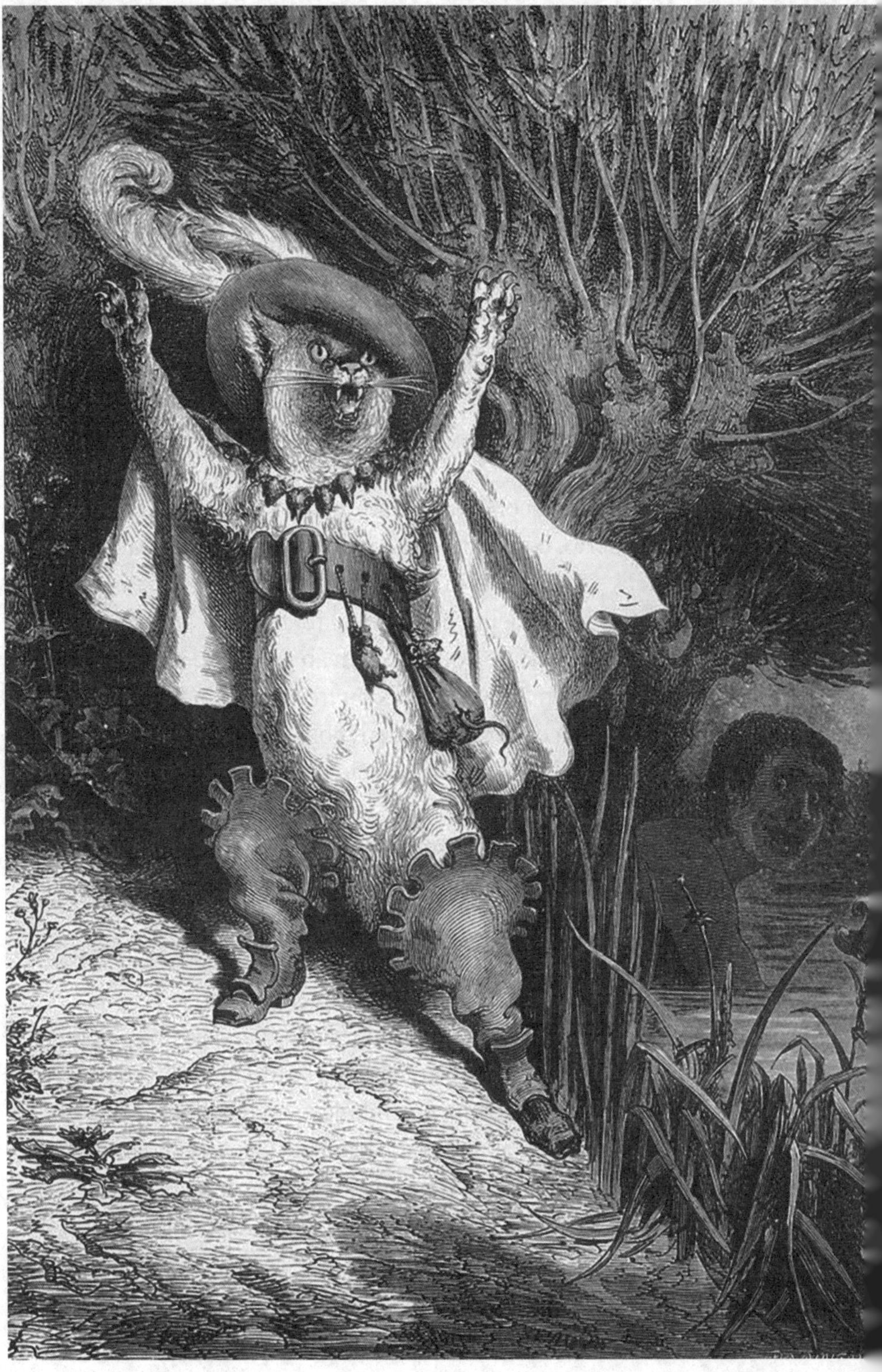

gritado com todas as suas forças: "Pega ladrão!" O rei ordenou aos seus pajens que fossem buscar um de seus mais belos trajes para o Marquês de Carabás, além de cobrir de gentilezas o marquês. E como os lindos trajes que foram trazidos faziam ressaltar a sua figura (pois ele era um belo moço), a filha do rei achou que ele era muito do seu agrado. E bastou que o Marquês de Carabás lhe lançasse dois ou três olhares muito respeitosos, mas um pouco ternos, para que ela se apaixonasse loucamente por ele.

O rei insistiu para que ele subisse para a sua carruagem e participasse do seu passeio. O Gato, encantado ao ver que sua trama começava a dar resultado, partiu correndo na frente; quando encontrou alguns camponeses lavrando um campo, ele lhes disse: "Minha boa gente, se não disserem ao rei que esse campo que estão lavrando pertence ao Marquês de Carabás vocês vão ser picados em pedaços tão miúdos que só vão servir para encher linguiça".

O rei não deixou de perguntar aos lavradores a quem pertencia aquele campo. "Ao Marquês de Carabás", responderam eles em coro, pois a ameaça do Gato assustara eles todos. "O senhor tem aí um belo patrimônio", comentou o rei para o Marquês de Carabás. "Saiba Vossa Majestade", respondeu o marquês, "que esse campo nunca deixou de produzir uma abundante colheita todos os anos".

O mestre Gato, que ia sempre na frente, encontrou um grupo de ceifeiros e lhes disse: "Minha boa gente, se não disserem que todo esse trigal pertence ao Marquês de Carabás vocês serão picados em pedaços tão miúdos que só vão servir para encher linguiça". O rei passou logo depois e quis saber a quem pertencia todo aquele trigo. "Ao Marquês de Carabás", responderam os ceifeiros, e o rei se congratulou de novo com o marquês. O Gato, que continuava na dianteira, dizia sempre a mesma coisa a todo mundo que encontrava, deixando o rei espantado com a extensão das terras do Marquês de Carabás.

O mestre Gato chegou afinal a um belo castelo, cujo dono era um ogro que possuía riquezas jamais imaginadas, pois todas as terras por onde tinha passado o rei pertenciam a ele. O Gato teve o cuidado de se informar a respeito do ogro e das coisas que ele sabia fazer, depois pediu para ser levado à sua presença, explicando que não queria passar tão perto do castelo sem ter a honra de cumprimentá-lo.

O ogro recebeu-o o mais amavelmente que pôde, convidando-o a descansar um pouco ali. "Ouvi dizer", falou o Gato, "que o senhor tem o dom de se transformar em qualquer tipo de animal e que, se quiser, pode transformar-se por exemplo num leão ou num elefante." — "É verdade", respondeu o ogro em tom brusco, "e para provar isso vou virar agora mesmo um leão". O Gato, apavorado ao ver um leão na sua frente, trepou no telhado imediatamente, com grande dificuldade e risco, pois suas botas não tinham sido feitas para andar sobre telhas.

Momentos depois, ao ver que o ogro tinha voltado à sua forma primitiva, o Gato desceu e declarou que sentira muito medo. "Ouvi falar também", continuou o Gato, "mas eu não acreditei, que o senhor é capaz de tomar a forma até dos animais mais pequenos, por exemplo, de se transformar num rato, num camundongo. Para ser franco, acho que uma coisa dessas é totalmente impossível." "Impossível?", falou o ogro. "Pois você vai ver...", e no mesmo instante transformou-se num camundongo, pondo-se a correr pelo chão. Logo que o Gato o viu, atirou-se sobre ele e o comeu.

Enquanto isso o rei, que ao passar viu o belo castelo do ogro, desejou conhecê-lo. O Gato, ao ouvir o ruído da carruagem passando sobre a ponte levadiça, correu a recebê-lo, dizendo: "Vossa Majestade é bem-vinda ao castelo do Marquês de Carabás." "Como, senhor Marquês", exclamou o rei, "este castelo também é seu? Não existe nada mais belo do que este pátio e todas essas construções ao redor. Vamos vê-lo por dentro, se o senhor permitir".

O marquês deu a mão à jovem princesa e, acompanhando o rei, os dois subiram a escadaria e entraram em um grande salão, onde lhes foi servido um esplêndido repasto, que o ogro tinha mandado preparar para alguns amigos, cuja visita ele estava esperando naquele mesmo dia; os amigos, porém, não tiveram coragem de entrar quando souberam que o rei estava lá dentro. Encantado com os belos dotes do Marquês de Carabás, assim como a sua filha, que estava apaixonada por ele, o rei lhe disse, depois de ver as grandes riquezas que o marquês possuía: "Cabe ao senhor decidir, senhor marquês, se deseja ou não ser meu genro". O marquês, fazendo grandes mesuras, aceitou a honra que lhe fazia o rei e no mesmo dia desposou a princesa. O Gato passou a ser um grande fidalgo e já não corria mais atrás de camundongos a não ser para se divertir.

Comentário

Perrault tinha, sem dúvida, lido na tradução de Larivery essa história, que começa na Nona Noite de Strapparole.[6]

"Havia outrora na Boêmia uma pobre viúva chamada Soriane, a qual tinha três filhos, o primeiro chamado Dussolin, o outro Tesifon e o terceiro Constantin, o Afortunado. A viúva não possuía nenhum bem no mundo a não ser três coisas, a saber: uma gamela de amassar pão, uma roda, ou disco, de madeira, onde abrir a massa, e uma gata. A pobre velha, carregada de anos e debilitada pela doença, ao se sentir à beira da morte resolveu dispor do pouco que tinha e fazer seu testamento, por meio do qual deixou a Dussolin, o filho mais velho, a gamela; a Tesifon a roda de madeira, e ao pequeno Constantin a gata.

"Morta e enterrada a viúva, os vizinhos, que sabiam da pobreza dos meninos, pediam-lhes emprestado frequentemente a gamela e a roda de madeira, e quando as devolviam davam-lhes em paga um pequeno bolo ou torta, que Dussolin e Tesifon comiam sozinhos, sem dar um pedacinho sequer ao irmãozinho Constantin; e quando acontecia a este pedir-lhes às vezes um pedaço, recebia como resposta que fosse pedir comida à sua gata, que sem dúvida o atenderia; razão pela qual o pobrezinho passou muita necessidade, e disso logo se apercebeu a gata, que era uma fada. E tanta pena teve dele que não descansou enquanto não encontrou para o seu amo o remédio adequado contra a maldade e a glutonaria dos dois irmãos. E assim foi que, certa manhã, ela aproximou-se do seu amo Constantin e lhe disse: "Meu amo, quem resiste não é vencido; a paciência sobrepuja o sofrimento. E por isso vos suplico que deis tempo ao tempo e deixeis tudo por minha conta, pois, com efeito, creio poder em breve prover tão bem às nossas necessidades que vossos irmãos se sentirão felizes se puderem vos pedir o que agora suplicais a eles." Assim dizendo, a gata pegou uma esfarrapada sacola, saiu da casa e foi para o campo, onde, fingindo dormir, pegou uma lebre que saltitava ao seu redor e a matou. Isso feito, depois de metê-la dentro da sacola e atirá-la ao ombro, ela dirigiu-se ao palácio real, deu cinco voltas ao seu redor e, acercando-se finalmente de alguns cortesãos, pediu-lhes que a deixassem falar com o rei, o que lhe foi concedido. O rei, ao saber que uma gata queria falar com ele, mandou-a entrar; desejando saber o que ela queria dele, a gata informou que Constantin,

---

[6] As chistosas "Noites de Strapparole", contendo várias e belas histórias e enigmas, narradas por dez senhoritas e alguns cavalheiros. Traduzidas do italiano para o francês por Pierre de Larivery, Champenois, 1579. — Reimpressas em Amsterdã, por Jean Frédéric Bernard, 1725, 3 vol. in-18.

o seu amo, a havia enviado para oferecer, em seu nome, aquela lebre a Sua Majestade. Dizendo isso, tirou-a de sua sacola e, fazendo uma grande reverência, apresentou-a ao rei. O rei recebeu delicadamente o presente e quis saber quem era esse Constantin. "É um jovem fidalgo", disse a gata, "que em matéria de bondade, beleza, virtude e poder não tem igual." Essas palavras muito encantaram o rei, o qual, esperando poder conhecê-lo melhor no futuro, ordenou que servissem almoço a Dona Gata e em seguida se retirou. A gata, depois de encher bem a pança, quis que seu amo partilhasse de sua boa sorte e assim, o mais sutilmente que pôde, para que ninguém notasse, encheu secretamente a sacola com os mais saborosos petiscos e iguarias que havia na mesa; e, tendo-se despedido de toda a corte, retornou para junto de seu amo. Os dois irmãos, vendo Constantin de posse de tanta comida, pediram que lhes desse um pouco, mas ele, pagando-lhes na mesma moeda, mandou-os recorrerem à sua gamela e à sua roda, o que os deixou tão irritados que de boa vontade teriam devorado o irmão. E como Constantin era um belo rapaz, bem feito de corpo e gentil de maneiras, a gata lhe disse: "Meu amo, se acreditardes em mim e seguirdes os meus conselhos, fazendo o que eu vos disser, ousarei gabar-me de que em breve vos tornarei rico." "E de que maneira?", quis saber Constantin. "Da melhor maneira possível", respondeu a gata. "Basta que me acompanheis e não vos preocupeis com mais nada." Dito isso, levou-o a um rio que passava perto do palácio real e lá despojou o amo de todas as suas roupas, depois fê-lo entrar na água e mergulhar até o pescoço. Isso feito, a gata pôs-se a gritar com todas as suas forças: "Ajuda! Ajuda! Socorro! Socorro! Ai de mim! O Sr. Constantin está se afogando! Que desgraça! Que será de mim, que poderei fazer?" Os gritos foram tão fortes e tantas vezes reiterados que acabaram chegando aos ouvidos do rei, e ele, considerando que talvez se tratasse do mesmo Constantin que lhe havia mandado presentes, ordenou que o socorressem o mais rápido possível. O rapaz, tendo sido retirado da água e estando salvo do perigo, foi levado ao rei, depois que o vestiram com belos e ricos trajes, sendo gentilmente recebido por ele. Ao lhe perguntarem quem o havia lançado daquele jeito ao rio, o pobre homem não soube o que responder, mas a gata, que o acompanhava, tomou a palavra e disse: "Majestade, o medo que ele sentiu diante do grande perigo que correu deixou-o de tal forma transtornado que ele ainda não recobrou suas forças nem a palavra, para que possa dar a explicação que pedis. Por essa razão, eu suprirei essa falha, se assim aprouver a Vossa Majestade, e vos direi o que aconteceu. Sabei, pois, Majestade, que tendo o meu amo partido de sua casa carregado de joias e pedras preciosas, que trazia expressamente para vos presentear, ele foi atacado por salteadores que, pegando-o de surpresa, lhe tiraram tudo, até as roupas, e em seguida, tencionando afogá-lo, lançaram-no ao rio, onde, não fosse a pronta ajuda destes cavalheiros, ele teria sido engolido pelas águas, sem qualquer possibilidade de salvação!" Diante do que ouviu, o rei recomendou que ele fosse muito bem tratado e que o instalassem num belo e luxuoso aposento, pois estava maravilhado por abrigar em seu palácio semelhante hóspede, que ele supunha ser tão rico quanto era belo, estando decidido a fazê-lo desposar a princesa sua filha, o que foi levado a efeito incontinenti. Realizadas as núpcias e solenemente celebradas com toda a magnificência, o rei ordenou que dez mulas carregadas de ouro e prata, mais cinco outras levando ricos vestuários e suntuosos móveis, fossem conduzidas até o castelo de seu genro Constantin, que não cabia em si de contente ao se ver honrado com a companhia de numerosos e nobres cavalheiros, além do fato de ter ficado rico e poderoso em tão pouco tempo, sendo ele agora a pessoa mais importante do reino, depois do rei. Não obstante, essa alegria era atenuada por uma penosa preocupação, por não saber — o bravo cavalheiro — para onde levar sua mulher, fato esse que o atormentava bastante. Foi quando sua gata lhe disse que pusesse de lado toda a tristeza e se alegrasse, deixando as coisas por conta dela, que resolveria tudo. Assim, pois, cavalgando à frente da magnífica comitiva, a gata se distanciou deles e, encontrando alguns cavaleiros, disse-lhes: "Que fazeis aqui, pobres criaturas! Fugi, pelo amor de Deus! Fugi a toda pressa, senão estareis perdidos, pois vem aí atrás uma tropa de soldados que não deixará de vos prender ou matar. Eles já estão nos vossos calcanhares. E então? Não estais ouvindo o relincho de seus cavalos?" "Que poderemos fazer?", disseram os cavaleiros, aturdidos com a notícia. "Deveis fazer o que vou dizer", falou a gata. "Se eles perguntarem de quem sois servidores, respondereis: "Somos servidores e vassalos do senhor Constantin", e garanto que, ao vos declarardes servos dele, de quem os soldados são bons amigos, nenhum deles vos fará mal." Dito isso, a gata seguiu adiante e encontrou alguns pastores guardando vastos rebanhos, tendo dito a eles a mesma coisa. E assim fez com todos que encontrou pelo caminho. Os fidalgos que acompanhavam a princesa Elisette — pois era esse o nome da recém-casada — perguntaram, ao passar, aos cavaleiros e aos pastores a quem serviam eles, respondendo todos em coro que era ao senhor Constantin. Então os fidalgos disseram a ele: "Quer dizer, senhor, que estamos então entrando em vossas terras?" Ao quê, com um aceno de cabeça e um sorriso amável, ele concordava, dando sempre a mesma resposta a tudo o que lhe perguntavam. Em vista disso todos o tiveram em conta de um fidalgo muito rico. Dona Gata, que ia sempre na frente para preparar o terreno, chegou por acaso a um esplêndido castelo, tendo encontrado algumas pessoas à entrada. "Que fazeis aqui, boa gente? ", falou ela. "Por Deus, não vos apercebeis de que vossa ruína está próxima?" "Como?", disseram os do castelo. "Como?", repetiu a gata. "Posso garantir-vos que daqui a uma hora estareis todos feitos em pedaços. Apurai os ouvidos; não estais ouvindo já o tropel dos cavalos? Olhai, não estais vendo o pó que eles levantam no ar? Pois bem, se não quiserdes morrer, segui o meu conselho e eu prometo vos proteger. Se algum deles perguntar-vos quem é o dono deste castelo, devereis dizer unicamente que ele pertence a Constantin, o Afortunado, e eles não vos farão nenhum mal; eu respondo por isso." A comitiva chegou ao castelo e perguntou aos guardas quem era o seu dono, e eles responderam que era Constantin, o Afortunado. Diante disso, eles apearam e se instalaram no palácio, com todo conforto e dignidade. Ora, sucedeu que o senhor daquelas terras, cujo nome era Valentim, um bravo e valoroso soldado, tinha deixado o castelo no dia anterior para levar a uma outra propriedade sua a nova mulher; não se sabe, porém, por que estranho infortúnio ele havia encontrado subitamente a morte, durante a viagem. De forma que Constantin, que, por declaração pública feita pelos que serviam àquelas terras, havia tomado posse delas, continuou sendo o seu amo e senhor.

"Algum tempo depois Morand, o rei da Boêmia, finou-se, razão pela qual Constantin, o Afortunado, que tinha desposado a princesa Elisette, filha única do rei defunto e única e legítima herdeira da coroa, foi proclamado rei.

"E assim, de homem pobre e miserável que era, ele chegou a monarca de um poderoso reino, do qual, com sua bem-amada Elisette, ele usufruiu tranquilamente até o seu falecimento, deixando lindos e numerosos filhos, herdeiros de todas as suas ricas possessões."

O conto norueguês de *Mestre Pedro*, admiravelmente comentado por Moe (ASBJØRNSEN, nº 28), difere também do nosso pelo seu desfecho. Talvez se deva considerá-lo como primitivo, uma vez que a narrativa conserva mais de um traço mitológico, que desapareceu do conto francês: a figura do troll[7], por exemplo, de quem o gato consegue tomar o castelo, é mais completa do que a do ogro de Perrault. Nesse conto Pedro não desposa a filha do rei; ele apenas se torna, ele próprio, rei de toda a região que pertencia ao troll, sempre graças à esperteza de seu gato.

"Agora", diz o gato a Mestre Pedro, "tudo isto te pertence; não me resta outra coisa senão pedir-te esta recompensa por tudo o que fiz a teu favor: corta-me a cabeça."

"Não", respondeu o amo, "não farei tal coisa". "Se não a fizeres", falou o gato, "eu te furarei os olhos." E assim seu amo viu-se forçado a fazer o que o gato queria, embora não o desejasse absolutamente. Cortou a cabeça do gato e, no mesmo instante, o gato transformou-se na mais linda princesa que seus olhos já tinham visto, o que deixou Mestre Pedro maravilhado. "Tudo o que possuis agora constituía outrora os meus domínios", falou ela, "mas o troll me enfeitiçou, transformando-me num gato, e me levou para a casa de teu pai. Agora tu és livre para fazer o que quiseres, poderás aceitar-me ou não como rainha, pois és o rei de todas estas terras." Podeis estar certos de que Mestre Pedro não se fez de rogado e desposou a bela princesa. Ah, que lindas núpcias foram celebradas! As danças duraram oito dias; e vos digo que eu próprio lá estive também, nas bodas de Mestre Pedro e da princesa."

A nossa história tem o seu precedente, com algumas variantes, numa das novelas de Basile, *Gagliuso* (Pentamerone, II, 4). Mostrare-mos apenas a parte final,

---

[7] Ente sobrenatural da mitologia escandinava, que aparece ora sob a forma de um gigante, ora de um anão benfazejo, mas malicioso. — N. da T.

que não é incluída em Perrault. O senhor de Gagliuso não mostra ao seu benfeitor tanta gratidão quanto o nosso marquês de Carabás:

"Quando Gagliuso se viu tão extraordinariamente rico e feliz, ele mostrou-se inconcebivelmente grato ao gato, reconhecendo que devia aos seus fiéis serviços a sua vida e a sua grandeza. "Agora", falou ele, "tu podes, por toda a tua vida, dispor de meus bens como te aprouver, e se tivermos a infelicidade de te perder um dia — o que espero não acontecer tão cedo — mandarei embalsamar-te, colocar-te num esquife de ouro e levar-te para o meu quarto, para que permaneças para sempre diante de meus olhos e fiques permanentemente na minha lembrança."

"O gato quis certificar-se da sinceridade dessas magníficas promessas; no dia seguinte, ele estendeu-se ao comprido numa das aleias do jardim e se fingiu de morto. A mulher de Gagliuso, a princesa, foi a primeira a vê-lo, e gritou: "Oh, meu marido, que infelicidade! O gato está morto!" "Que o gato vá para o diabo!", respondeu o marido. "Antes ele do que nós!" "Que vamos fazer com ele?", indagou a mulher. "Ora, pega-o pelas patas e joga-o por cima do muro!"

"Ao ouvir essa resposta, o gato levantou-se e lhe disse:

"São esses então os agradecimentos e a recompensa que recebo por vos ter tirado da miséria? É essa a minha paga por vos ter dado um palácio, belas roupas e todos os prazeres da vida, a vós que não passáveis de um pobre diabo, faminto e andrajoso! Ah, agora vejo que quando se lava a cabeça de um asno perde-se o tempo e o sabão. Maldito o dia em que vos socorri! Não mereceis nem que eu cuspa em vosso rosto! E o belo funeral que iríeis fazer para mim, e o esquife de ouro que me prometestes? Aí está o que se ganha em servir a gente da vossa laia. Fazei o bem ao vilão, ele vos morderá a mão; castigai o vilão, ele vos beijará a mão."

"E virou-lhe as costas. Não adiantou Gagliuso pedir-lhe perdão o mais humildemente que pôde. Nada o apaziguou. Ele partiu sem olhar para trás, resmungando entre dentes: "Deus nos guarde de um rico que ficou pobre, e de um pobre que ficou rico!"

Numa coletânea de contos e novelas, feita em 1535 por um simples seleiro, Nicolas de Troyes, é encontrada uma encantadora história que nenhuma relação tem com o Gato de Botas mas na qual há também um gato que traz a fortuna para o seu jovem amo, de quem ele é o único patrimônio. Esse conto pode ser encontrado de novo em alemão, na coletânea dos irmãos Grimm (nº 70, Os três irmãos felizes), e em tcheco (Bojeva Nemçova; ver também Waldau, Boehmisches Moerchenbuch, p. 176), sendo também conhecido entre os sérvios (ver a coletânea de Vouk Stepanovitch, p. 407). Esse é também o tema de uma lenda inglesa bem conhecida, Wittington e seu gato; essa historieta era muito difundida na Idade Média, como provam as referências feitas pelos irmãos Grimm (t. III, p. 119). O conto de Nicolas de Troyes, bem como vários outros do mesmo autor, foi publicado recentemente (Bruxelas, J. Gay, 1866) por Emile Mabille, e traz o seguinte título: *De como um honrado homem que tinha três filhos ao morrer não lhes deixou senão um galo, um gato e uma foice, e não obstante, sucedeu que os ditos filhos ficaram todos ricos."* O primeiro dos filhos vendeu o galo ao rei de um país estrangeiro, onde o governo despendia grandes somas de dinheiro para mandar todas as noites uma carroça buscar o dia; o galo, simplesmente com o seu canto, fazia com que o dia viesse, e a compra, ainda que por alto preço, do precioso galináceo representou uma enorme economia. O segundo irmão, por sua vez, obteve sua fortuna nas terras de um povo longínquo, onde as pessoas, "com penoso esforço e grande perda de tempo, tiravam da terra cada espiga de trigo com a ponta de uma agulha." É fácil imaginar como eles ficaram encantados ao comprar-lhe a foice, o que fez com que a colheita se tornasse mil vezes mais rápida. Finalmente, o terceiro irmão, ao viajar com o seu gato pelas terras dos Gots, Magots, Tartarins e Barbarins, emprestou-lhes o bicho mediante uma respeitável quantia e com bom proveito para eles, pois assim poderiam suprimir uma dispendiosa guarda de homens d'armas e de alabardeiros, que o rei pagava para que defendessem o "seu almoço, sua ceia e todos os seus repastos" da cruel perseguição de um bando de ratos e ratazanas.

O mensageiro do marquês de Carabás ameaça os camponeses que ele encontra pelo caminho de "serem transformados em picadinho de carne". Esse tipo de ameaça era, ainda no século XVII, dirigida às vezes ao povo do campo, e nada tinha de fictícia. Fléchier relata, em suas *Mémoires sur les grands jours d'Auvergne*, em 1665, os excessos de um certo Senhor de la Mothe Tintry, que agia conforme falou o Gato de Botas.

RIQUET, O TOPETUDO

Era uma vez uma rainha que deu à luz um menino tão feio e tão mal conformado que durante muito tempo houve dúvida se ele pertencia ou não à raça humana. Uma fada, que o viu nascer, garantiu que nem por isso ele deixaria de ser uma pessoa amorável quando crescesse, pois seria dotado de muitos dons de espírito. Chegou mesmo a afirmar que, em virtude desses dons que ela acabava de lhe conceder, ele poderia transmitir para a pessoa a quem mais amasse todas as suas qualidades de espírito.

Tudo isso consolou um pouco a pobre rainha, que se sentia muito amargurada por ter posto no mundo um fedelho tão grotesco. Na verdade, mal aprendeu a falar, o menino só dizia coisas bonitas e interessantes; além disso, em todos os seus atos havia algo de tão espiritual que encantava todo mundo. Esqueci de dizer que ele nasceu com um pequeno chumaço de cabelo no alto da testa e por isso ficou sendo chamado de Riquet, o Topetudo, sendo Riquet o nome de sua família.

Ao fim de sete ou oito anos, a rainha de um reino vizinho deu à luz duas meninas. A primeira que veio ao mundo era mais linda que o dia. A rainha ficou tão contente com isso que todo mundo teve receio de que uma alegria tão grande trouxesse algum mal a ela. A mesma fada que tinha assistido ao nascimento do pequeno Riquet, o Topetudo, também estava presente. E para acalmar um pouco a exagerada alegria da rainha, ela declarou que a princesinha não seria dotada de muito espírito e que a sua burrice seria tão grande quanto a sua beleza. Isso aborreceu profundamente a rainha. Entretanto, logo em seguida teve outra grande tristeza, pois deu à luz a segunda menina, que era extremamente feia. "Não se preocupe muito, minha senhora", disse a fada. "Sua filha será recompensada de outra maneira. Ela será tão inteligente que ninguém irá perceber que lhe falta beleza". "Queira Deus que assim seja", respondeu a rainha, "mas não haveria um jeito de dar um pouco de inteligência à mais velha, que é tão linda?" — "Não posso fazer nada por ela, minha senhora, com relação à sua inteligência", respondeu a fada. "Mas como não há nada que eu não esteja disposta a fazer para agradar à senhora, vou dar à sua filha o dom de tornar bela toda pessoa de quem ela gostar".

À medida que as duas princesas foram crescendo, suas qualidades cresceram com elas. Por toda parte só se falava na beleza da mais velha e na inteligência da mais nova. É verdade também que os seus defeitos aumentaram muito com a idade. A feiura da mais nova ia piorando a olhos vistos, e a mais velha ficava cada dia mais burra — ou ela não respondia nada ao que lhe perguntavam, ou respondia uma bobagem. Era tão desajeitada que não conseguia arrumar quatro peças de louça na prateleira sem quebrar uma, nem beber um copo d'água sem derramar metade na roupa.

Embora a beleza seja uma grande vantagem para uma pessoa jovem, a irmã mais nova sempre levava a melhor sobre a irmã mais velha, em qualquer reunião. No começo, todos se agrupavam em torno da mais bela, para vê-la e admirá-la, mas logo iam para junto da que era mais inteligente, a fim de ouvir as interessantes coisas que ela tinha para dizer. Causava espanto que em menos de um quarto de hora a mais velha já não tinha mais ninguém ao seu lado, enquanto todo mundo se reunia em torno da mais nova. Embora bastante estúpida, a mais velha percebia isso muito bem, e teria dado sem pestanejar toda a sua beleza para ter a metade da inteligência de sua irmã. A rainha, embora fosse compreensiva, não deixava de reprovar frequentemente as suas tolices, o que fazia a pobre princesa morrer de tristeza.

Um dia em que se embrenhara num bosque para chorar em segredo suas mágoas, ela viu aproximar-se um homenzinho muito desgracioso mas esplendidamente vestido. Era o jovem príncipe Riquet, o Topetudo, que, tendo-se apaixonado por ela ao ver o seu retrato, que podia ser visto em toda parte, havia deixado o reino de seu pai para ter o prazer de vê-la e falar com ela. Encantado por encontrá-la ali sozinha, ele se dirigiu a ela com todo o respeito e toda a delicadeza possíveis. Tendo notado, após fazer-lhe os cumprimentos habituais, que ela estava muito triste, ele falou:

"Não posso compreender, senhorita, como uma pessoa tão bela assim possa estar tão triste. Embora eu possa me gabar de já ter visto uma infinidade de moças lindas, jamais vi uma beleza que se compare com a sua." — "Isso é bondade sua, senhor", respondeu a princesa, e logo se calou. "A beleza", continuou Riquet, o Topetudo, "é tão valiosa que se sobrepõe a tudo mais. E quando alguém a possui, como é o seu caso, não existe nada que a possa afligir muito." — "Eu preferiria mil vezes", disse a princesa, "ser feia como o senhor e ser inteligente, do que possuir a beleza que possuo e ser tão burra quanto sou." — "Não existe nada, senhorita", falou o príncipe, "que marque especialmente a pessoa que possui inteligência, a não ser o fato de que ela própria ache que não tem inteligência nenhuma. Faz parte da natureza desse dom que, quanto mais a pessoa o tem, menos acredita que o possui." — "Não sei nada disso", retrucou a princesa. "O que sei é que sou muito burra, e é isso que me mata de desgosto." — "Se a questão que a aflige é só essa, senhorita, posso facilmente pôr um fim à sua tristeza." — "De que maneira?", indagou a princesa. — "Eu tenho o poder, senhorita", respondeu Riquet, o Topetudo, "de conceder toda a inteligência possível à pessoa a quem eu mais amar. E como a senhorita é essa pessoa, fica inteiramente à sua escolha ter toda a inteligência que quiser, contanto que concorde em se casar comigo".

A princesa ficou um pouco confusa e não disse nada. "Estou vendo", disse Riquet, o Topetudo, "que essa proposta lhe causa mal-estar, e isso não me espanta. Mas a senhorita terá um ano inteiro para se decidir". A princesa tinha tão pouca inteligência e ao mesmo tempo tanta vontade de ter muita, que imaginou que esse ano nunca iria chegar ao fim; de sorte que aceitou a proposta que lhe fora feita. Entretanto, mal prometeu a Riquet, o Topetudo, que se casaria com ele dali a um ano, sentiu que começavam a ocorrer com ela muitas mudanças. De repente começou a ter uma facilidade incrível para dizer tudo o que desejava, e de uma maneira inteligente, simples e natural. Naquele mesmo momento iniciou uma conversa encantadora e prolongada com o príncipe, tagarelando com tal brilhantismo que ele começou a achar que havia dado a ela mais inteligência do que ele próprio possuía.

Quando ela voltou para o palácio, a corte inteira ficou sem saber o que pensar de uma mudança tão súbita e tão extraordinária, pois, assim como até então só tinham ouvido a princesa dizer tolices, agora só ouviam dela coisas sensatas e infinitamente inteligentes. Toda a corte sentiu uma alegria indescritível, e unicamente sua irmã caçula ficou um pouco contrariada, pois, não tendo mais sobre a irmã a vantagem da sua inteligência, a figura que ela agora fazia ao seu lado era muito feia e desagradável.

O rei passou a seguir a sua opinião, chegando mesmo a ir aos seus aposentos, de vez em quando, para ouvir os seus conselhos. A notícia dessa transformação espalhou-se, e todos os jovens príncipes dos reinos vizinhos esforçaram-se por merecer o seu amor, sendo que quase todos pediram sua mão em casamento. Ela, porém, não viu em nenhum deles uma inteligência que a satisfizesse; ouvia a todos, mas não se comprometia com nenhum. Entretanto, apareceu um dia um príncipe tão poderoso, tão rico, tão inteligente e tão bem apessoado que ela não pôde deixar de sentir simpatia por ele. Seu pai, percebendo isso, disse-lhe que concedia a ela o direito de escolher o seu marido, bastando à princesa declarar quem ele era. Como, porém, quanto mais inteligente a pessoa é, mais difícil se torna para ela tomar uma decisão firme sobre esse assunto, ela pediu, depois de agradecer ao pai, que lhe desse tempo para pensar.

Por acaso, a princesa foi passear um dia no mesmo bosque onde tinha encontrado Riquet, o Topetudo, a fim de poder pensar com mais calma sobre o que ia fazer. Enquanto caminhava, mergulhada em seus pensamentos, ouviu um barulho surdo sob os seus pés, como se várias pessoas estivessem se movimentando de um lado para outro, ocupadas com algum trabalho. Apurando o ouvido, ela escutou uma voz que dizia: "Passe-me essa panela"; e outra: "Traga o caldeirão"; e ainda outra: "Ponha mais lenha no fogo". Nesse momento a terra se abriu e ela viu surgir aos seus pés uma enorme cozinha com dezenas de cozinheiros, dezenas de panelões, inumeráveis ajudantes e tudo o que era necessário para o preparo de um magnífico banquete. Dali saiu um grupo de vinte ou trinta cozinheiros, especialistas em assados, indo todos instalar-se numa das alamedas do bosque, ao redor de uma comprida mesa, e todos eles, com a lardeadeira na mão, puseram-se a trabalhar cadenciadamente, ao som de uma melodiosa canção.

A princesa, espantada com esse espetáculo, quis saber a razão de toda aquela atividade. "É para o príncipe Riquet, o Topetudo, minha senhora", respondeu o mais próximo do grupo. "As núpcias dele se realizam amanhã". A princesa, ainda mais surpresa do que antes, e lembrando de repente que naquele dia mesmo estava fazendo um ano que ela havia prometido casar com o príncipe Riquet, o Topetudo, quase caiu, de susto, dentro do buraco aos seus pés. O que a tinha impedido de se lembrar da promessa era que, quando a fizera, ela era muito burra, mas depois que recebera a inteligência dada pelo príncipe tinha esquecido todas as tolices que até então havia dito.

Mal dera ela trinta passos pelo bosque quando Riquet, o Topetudo surgiu à sua frente, magnífico, imponente, como um príncipe em vias de se casar. "Como vê, senhorita", disse ele, "estou cumprindo rigorosamente a minha palavra, e estou certo de que a senhorita veio até aqui para cumprir a sua".

"Vou-lhe confessar com franqueza", respondeu a princesa, "que ainda não tomei nenhuma decisão a esse respeito, mas acho que jamais poderei dar-lhe a resposta que o senhor deseja".

"A senhorita me surpreende", falou Riquet, o Topetudo. — "Isso é compreensível", disse a princesa. "Tenho certeza de que se eu estivesse lidando com um homem grosseiro, um homem estúpido, eu estaria numa situação muito incômoda. Uma princesa tem de manter sua palavra, ele iria dizer-me, e a senhorita tem de se casar comigo, pois foi isso que me prometeu. Mas como a pessoa com quem estou falando é um homem de grande inteligência, estou certa de que entenderá minhas razões. O senhor sabe que mesmo quando eu era uma moça muito burra eu não teria tido coragem de me casar com o senhor. Como, então, quer exigir que eu agora, com a inteligência que o senhor me deu e que torna ainda mais difícil do que era antes, para mim, a escolha de um marido, tome hoje uma decisão que não tive coragem de tomar naquela ocasião? Se era sua ideia casar comigo, o senhor fez muito mal em me transformar numa moça inteligente e em me fazer ver as coisas com mais clareza".

"Se, como a senhorita acaba de dizer, um homem sem inteligência seria compreendido se reprovasse a sua falta de palavra, por que então não pode acontecer o mesmo comigo, quando toda a minha felicidade está em jogo? A senhorita acha razoável que as pessoas que possuem inteligência mereçam menos do que as que não possuem? Será que concorda com isso, logo a senhorita, que é tão inteligente agora e tanto desejou ser outrora? Fora a minha feiura, há alguma outra coisa em mim que a desagrada? Não a satisfazem a minha linhagem, a minha inteligência, o meu temperamento e as minhas maneiras?"

— Não é nada disso — respondeu a princesa. — Admiro no senhor tudo o que acaba de mencionar.

— Então, se assim é — disse Riquet, o Topetudo — eu vou ser feliz, já que a senhorita tem o poder de me transformar no mais encantador dos homens.

— Como poderá ser feito isso? — indagou a princesa.

— Isso poderá ser feito — respondeu Riquet, o Topetudo — se a senhorita me amar o bastante para desejar que assim aconteça; e para que não duvide de minhas palavras, fique sabendo que a mesma fada que, quando nasci, me deu o poder de transmitir inteligência à pessoa a quem amo, também deu à senhorita o dom de tornar belo aquele a quem ama e a quem deseja conceder essa graça.

— Se a coisa é assim — falou a princesa — desejo de todo o meu coração que o senhor se transforme no príncipe mais lindo do mundo.

Mal a princesa acabou de pronunciar essas palavras, Riquet, o Topetudo transformou-se diante de seus olhos no homem mais belo, mais bem posto e mais encantador que ela já havia visto. Algumas pessoas afirmam que não foram os dons da fada que operaram essa metamorfose, e, sim o amor que ela sentia por ele. Dizem essas pessoas que a princesa, ao refletir sobre a perseverança do seu namorado, a sua discrição e todas as boas qualidades da sua alma e do seu espírito, não enxergou mais a deformidade do seu corpo nem a feiura de seu rosto; que a sua corcunda não lhe pareceu senão um indício da robustez do seu tórax e a sua coxeadura, por ela considerada horrível, agora lhe parecia apenas um andar um pouco gingado, que lhe dava um certo encanto. Dizem ainda elas que os seus olhos, que eram vesgos, pareciam à princesa mais brilhantes por serem assim e que esse estrabismo não era outra coisa, segundo ela, senão um indício muito forte de um imenso amor. E que, finalmente, o seu nariz, vermelho e grande, tinha para ela qualquer coisa de marcial e heroico.

Seja como for, o fato é que a princesa prometeu no mesmo instante casar-se com ele, contanto que fosse obtido o consentimento do rei seu pai. O rei, sabendo que a filha tinha muita estima por Riquet, o Topetudo, a quem, aliás, ele considerava como um príncipe muito inteligente e muito sensato, recebeu-o com prazer como genro. E no dia seguinte as núpcias foram realizadas, como Riquet, o Topetudo, havia previsto e de acordo com as ordens que ele havia dado muito tempo antes.

Comentário

Não foi possível aos estudiosos encontrar em nenhuma parte um exato antecedente desse conto. Por seu lado, Grimm é de opinião que ele deve ser produto da imaginação de Perrault. Não haveria nisso, evidentemente, nenhuma razão para protesto ou espanto, mas todas as probabilidades nos levam a crer que, tanto nessa história como nas outras, o escritor francês recorreu a suas recordações da infância. A história de Riquet, o Topetudo, não é outra coisa senão o desdobramento de um provérbio da Béauce: "Qualquer rapaz, sendo mais bonito que um lobo, pode desposar a filha de um rei". O espírito transfigura o corpo. Esse axioma está sempre presente nos contos populares "morais" e resume uma antiga história posta em versos latinos, em meados do século XIV, por Gotfrid de Tirlemont (*Gotiridus de Thentis*) e que faz parte de uma coletânea com o título de As*inarius vel Diadema*. O herói de Gotfrid não chega nem a ser um homem deformado pela feiura: ele é um asno. Não é que ele seja, para falar a verdade, um asno qualquer, já que há muita coisa fantástica em suas aventuras. "Filho desconhecido de um rei e de uma rainha, cujos nomes, época e país também ignoramos, ele conseguiu fazer-se amar, devido ao seu talento musical, por uma bela princesa, com quem o casam e que se espanta ao ver em sua câmara nupcial o asno transformar-se no mais belo dos príncipes. O pai, avisado por um escravo a quem havia encarregado de espionar o genro, rouba e atira ao fogo a pele de asno. O rapaz não tarda a herdar a coroa de seu pai e a de seu sogro, realizando assim a promessa do título: O Asno que Virou Rei". No *Pantcha-Tandra*, era uma serpente, em vez de um asno. Contudo, o asno reaparece em uma outra coletânea de contos hindus, O *Trono Encantado*. Strapparole prefere um porco, depois chamado de *O Rei Porco*; e *Pentamerone* traz de volta a serpente e fala também da princesa Preciosa, transformada em urso e adorada sob essa forma por um lindo príncipe que, surpreendendo-a um dia em que ela reassumira a forma de uma bela moça, se apressa em desposá-la.[8]

---

8 J. VICTOR LE CLERC & ERNEST RENAN, Histoire littéraire de France au siêcle XIV, I, 473.

Charles Perrault

O maravilhoso aparece em Riquet, o Topetudo assim como em todas essas fábulas, mas quão mais discreto e menos violento! Em contraposição, é exarcebado até os limites do mau gosto em outras histórias (*O Príncipe Marcassin, A Bela e a Fera, Zémire e Azor*), onde é abordado com grande exagero o tema desenvolvido com tanta espiritualidade pelo nosso autor.

PELE DE ASNO

Era uma vez um rei tão poderoso, tão amado pelo seu povo e tão respeitado pelos seus vizinhos e aliados que se podia dizer que era o mais feliz de todos os monarcas. Sua felicidade era ainda maior devido à escolha que havia feito, para sua esposa, de uma princesa tão bela quanto virtuosa. Os dois esposos viviam em união perfeita, e dessa casta união nasceu uma filha dotada de tantas graças e tantos encantos que eles não lamentaram não ter tido mais filhos.

A magnificência, o bom-gosto e a abundância reinavam no seu palácio; os ministros eram honestos e competentes; os cortesãos, virtuosos e leais; os criados, fiéis e trabalhadores; as estrebarias, amplas e lotadas com os mais belos cavalos do mundo, todos ricamente ajaezados. Mas o que mais espantava os forasteiros que vinham admirar essas belas estrebarias é que no centro delas, e no local mais visível, via-se um respeitável asno a abanar suas compridas orelhas. Não era por capricho seu, e sim por justa razão, que o rei lhe tinha reservado ali um lugar especial. As virtudes desse singular animal mereciam essa distinção, pois a Natureza fizera dele um ser tão extraordinário que, todas as manhãs, o forro de palha sob os seus pés, em vez de aparecer todo sujo, apresentava um punhado de belos escudos e luíses de ouro de todo tipo, que eram recolhidos quando ele acordava.

Mas como as vicissitudes da vida atingem da mesma forma tanto os reis quanto os seus súditos, e como tudo o que é bom está sempre ligado a alguma coisa de mau, o céu permitiu que a rainha se visse de repente atacada por uma grave enfermidade, para a qual, apesar de toda a ciência e competência dos médicos, não foi possível encontrar cura. A desolação foi geral. O rei, sensível e apaixonado — apesar do célebre provérbio que diz que o casamento é o túmulo do amor — deixou-se tomar por desmedida aflição e fez promessas desesperadas em todos os templos de seu reino, oferecendo sua vida em troca da de sua esposa bem-amada. Mas em vão foram invocados os deuses e as fadas. A rai-

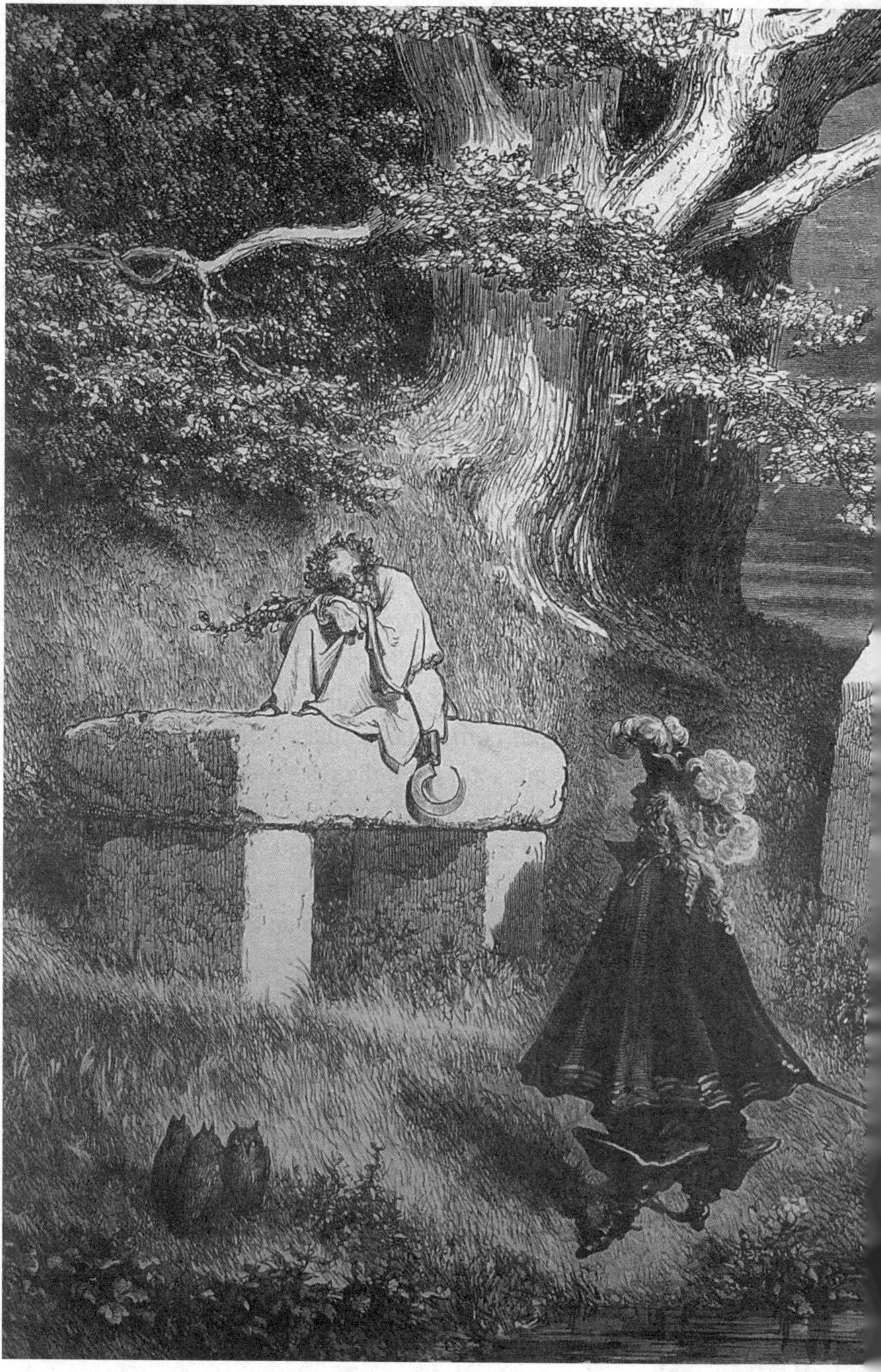

nha, sentindo que sua hora final se aproximava, disse ao esposo desmanchado em lágrimas: "Permita-me dizer-lhe que, antes que morra, exijo uma coisa de você: é que, se lhe vier o desejo de se casar de novo..." A essas palavras, o rei soltou um grito de angústia, agarrou as mãos de sua mulher e as banhou com suas lágrimas, afirmando que era inútil falar a ele de um segundo casamento. "Não, não, minha querida rainha", disse ele, "diga-me, antes, que logo irei juntar-me a você." "O reino", prosseguiu ela, com uma firmeza que tornava ainda mais insuportável a dor do rei, "o reino exige sucessores, e, como só lhe dei uma filha, irá pressioná-lo para que tenha filhos semelhantes a você. Mas uma coisa eu peço encarecidamente, em nome de todo o amor que você tem por mim: é que só ceda à pressão do seu povo quando tiver encontrado uma princesa mais bela e mais virtuosa do que eu. Quero que me faça esse juramento, e então morrerei feliz".

Presume-se que a rainha, a quem não faltava o amor a si própria, tinha exigido esse juramento por não acreditar que houvesse no mundo alguém que pudesse igualar-se a ela, convencida de que assim ficaria certa de que o rei jamais voltaria a se casar. Finalmente ela morreu. Jamais um marido fez tamanho escarcéu pela morte da mulher: choros, soluços noite e dia, e tudo mais a que a viuvez faz jus foram a sua única ocupação.

As grandes dores não duram muito. Além do mais, as principais figuras do reino se reuniram e foram, incorporadas, suplicar ao rei que se casasse de novo. Essa primeira proposta pareceu a ele intolerável e fez com que derramasse um novo caudal de lágrimas. Ele mencionou o juramento que havia feito e desafiou todos os seus conselheiros a encontrarem uma princesa mais bela e mais virtuosa do que a sua falecida esposa, achando ser isso impossível. Mas os conselheiros consideraram uma tolice essa promessa e declararam que pouco importava a beleza, contanto que a rainha fosse virtuosa e pudesse ter filhos. Disseram ainda que o reino exigia isso, para sua tranquilidade e sua segurança. É verdade que a infanta tinha todas as qualidades para se tornar uma grande rainha, mas ela teria de escolher um estrangeiro para esposo; nesse caso, ou esse estrangeiro a levaria embora para a sua terra ou, se permanecesse ali como rei, seus filhos não seriam considerados da mesma linhagem. E assim, não tendo o reino nenhum príncipe de sua linhagem, os povos vizinhos poderiam provocar guerras que acarretariam a sua ruína. O rei, impressionado com esses argumentos, prometeu que tentaria satisfazer seus conselheiros.

De fato, ele procurou entre as princesas casadoiras a que mais lhe poderia convir. Todos os dias eram mostrados ao rei encantadores retratos, mas nenhuma das moças tinha os encantos da falecida rainha; e assim ele nunca se decidia. Infelizmente, ele começou a notar que a infanta sua filha era não apenas extraordinariamente bela, como sua beleza, inteligência e encanto ultrapassavam por muito os da rainha sua mãe. Sua juventude, o suave frescor de sua tez despertaram no rei um amor tão violento que ele não pôde escondê-lo da infanta e lhe declarou que havia decidido desposá-la, já que somente ela podia livrá-lo do seu juramento.

A jovem princesa, cheia de virtude e pudor, sentiu-se desfalecer diante de tão terrível proposta. Lançou-se aos pés do rei seu pai e suplicou-lhe, com todas as forças do seu coração, que não a forçasse a cometer semelhante crime.

O rei, para quem essa estranha proposta se transformara numa ideia fixa, foi consultar um velho druida a fim de acalmar a consciência da princesa. O druida, que tinha mais ambição do que religião, sacrificou a defesa da inocência e da virtude em troca da honra de ser confidente de um grande rei. Influenciou com tanta habilidade o espírito do rei e atenuou de tal forma a gravidade do crime que ele ia cometer que chegou a convencê-lo de que se tratava de uma obra santa o seu casamento com a filha. O rei, lisonjeado pelas palavras do miserável sacerdote, abraçou-o agradecido e retornou ao palácio mais decidido do que nunca a levar avante a sua ideia. Deu ordens, pois, à infanta para se preparar para o casamento.

A jovem princesa, dominada por uma grande aflição, não teve outro recurso senão ir procurar a Fada dos Lilases, sua madrinha. Com esse objetivo, partiu nessa mesma noite num lindo cabriolé puxado por um robusto carneiro, que conhecia todos os caminhos, e chegou ao seu destino sem dificuldade. A fada, que gostava muito da infanta, disse-lhe que já sabia de tudo o que ela vinha lhe contar, mas que ela não precisava preocupar-se, pois nada poderia fazer-lhe mal se ela seguisse fielmente as suas instruções. "Pois, minha querida menina", falou ela, "será um grande erro casar-se com o seu pai. Mas você poderá evitar isso, sem precisar contrariá-lo. Diga-lhe que, para satisfazer um capricho seu, você deseja que ele lhe dê um vestido da cor do tempo. Jamais, apesar de todo o seu amor e de todo o seu poder, ele poderá conseguir isso".

    A princesa agradeceu muito a sua madrinha e logo na manhã seguinte disse ao rei o que a fada tinha aconselhado, declarando que ninguém arrancaria dela nenhuma promessa antes que tivesse conseguido um vestido da cor do tempo. O rei, encantado com a esperança que ela lhe dava, convocou os mais famosos artesãos do reino e lhes encomendou o vestido, advertindo-os de que, se não conseguissem fazê-lo, seriam todos enforcados. Desgraçadamente, o rei tinha chegado a esse extremo. Logo no segundo dia eles trouxeram o vestido tão desejado. A abóbada celeste, circundada por nuvens de ouro, nunca exibiu um azul mais belo do que o do esplêndido vestido ao ser desdobrado. A infanta ficou consternada e não via um meio de se livrar daquela situação. O rei apressava-a a tomar uma decisão. Foi preciso então recorrer de novo à madrinha, que, admirada por não ter dado resultado a sua ideia secreta, recomendou à princesa que exigisse do rei um vestido da cor da Lua. O rei, que não sabia recusar-lhe nada, mandou chamar os mais hábeis obreiros e lhes encomendou com tamanha urgência um vestido da cor da Lua que entre a sua ordem e a feitura do vestido decorreram vinte e quatro horas...

    A infanta, mais encantada com aquele soberbo vestido do que com as atenções do rei seu pai, entrou em desespero quando se viu sozinha com suas camareiras e a sua ama. A Fada dos Lilases, que de tudo sabia, veio em socorro da princesa aflita e lhe disse: "Ou eu muito me engano, ou creio que se você exigir um vestido da cor do Sol, das duas uma: ou conseguiremos atrapalhar os planos de seu pai, pois ele jamais achará quem possa fazer um vestido assim, ou ganharemos com isso mais um pouco de tempo".

    A infanta deixou-se convencer e pediu o vestido. O rei, apaixonado, deu sem nenhum pesar todos os brilhantes e os rubis de sua coroa para a confecção do vestido, com ordem para que nada fosse poupado a fim de que o vestido fosse igual ao Sol. E assim, quando ele ficou pronto, todos os que o viram exposto foram obrigados a fechar os olhos, de tal forma ficaram ofuscados. Foi a partir daí que surgiu o uso das lunetas verdes e dos óculos escuros. Que aconteceu com a infanta nessa hora? Jamais vira nada tão belo e tão artisticamente trabalhado. Ela se sentia confusa, e sob pretexto de que lhe doíam os olhos, recolheu-se aos seus aposentos, onde a fada a aguardava, mais envergonhada do que se pode imaginar. Mais ainda do que isso, pois ao ver o vestido da cor do Sol ela ficou rubra de cólera. "Oh, desta vez, minha filha", falou ela, "nós vamos submeter o indigno amor de seu pai a uma terrível prova. Vejo que ele se obstina em realizar esse casamento, que na sua opinião já está próximo, mas acho que ficará um pouco atordoado com o pedido que aconselho você a lhe fazer: peça-lhe a pele daquele que ele ama perdidamente e é tratado com tanto luxo. Vá, e não deixe de exigir dele a pele do asno".

A infanta, feliz por ter ainda um meio de escapar de um casamento que a horrorizava e acreditando, ao mesmo tempo, que seu pai jamais teria coragem de sacrificar o seu asno, foi procurá-lo e lhe declarou o seu desejo de possuir a pele daquele belo animal. Embora espantado com esse capricho, o rei não hesitou em satisfazer a sua vontade. O pobre asno foi sacrificado e a sua pele graciosamente oferecida à infanta. A moça, não vendo como escapar à desgraça que a ameaçava, já entrava em desespero quando sua madrinha acorreu. "Que é isso, minha filha?", falou ela, vendo a princesa a arrancar os cabelos e a arranhar o seu lindo rosto. "Chegou o momento mais feliz da sua vida. Enrole-se nessa pele, saia do palácio e vá caminhando até onde houver terra para você andar. Quando uma pessoa sacrifica tudo pela virtude, os deuses sabem recompensá-la. Vá. Eu cuidarei para que suas roupas a acompanhem por toda parte. Onde quer que você esteja, a sua mala, com suas roupas e suas joias, seguirá você por baixo da terra. Fique com a minha varinha; quando você precisar da mala, é só bater com a vara no chão e ela surgirá diante de seus olhos. Mas não se demore, parta o mais depressa possível".

A infanta beijou mil vezes a sua madrinha, suplicou a ela que não a abandonasse, envolveu-se naquela pele horrenda, depois de lambuzar o rosto e as mãos com fuligem da chaminé, e saiu daquele luxuoso palácio sem ser reconhecida por ninguém.

O desaparecimento da infanta causou um grande rebuliço. O rei, em desespero — depois que já havia mandado preparar uma festa esplendorosa — estava inconsolável. Despachou mais de cem milicianos e mais de mil mosqueteiros à procura de sua filha. Mas a fada, que a protegia, fazia com que ela se tornasse invisível aos olhares mais atentos. E assim o rei teve de se consolar com a sua perda.

    Durante todo esse tempo a infanta caminhava. Ia-se afastando cada vez mais, para bem longe, procurando em toda parte um lugar onde ficar. Entretanto, embora lhe dessem comida por caridade, todos a achavam tão imunda que ninguém queria aceitá-la. Finalmente ela chegou um dia a uma bela cidade, em cujos arredores havia uma granja, estando a granjeira precisando de uma criatura disposta a enfrentar a sujeira, para lavar os esfregões e limpar o galinheiro e o chiqueiro. A mulher, ao ver aquela forasteira tão suja, prontificou-se a empregá-la em sua casa, o que a infanta aceitou de muito bom grado, pois já estava cansada de tanto caminhar. Instalaram-na num canto afastado da cozinha, onde, nos primeiros dias, ela foi alvo dos mais rudes gracejos da criadagem, de tal maneira a pele de asno tornava sua aparência repugnante. Por fim, todos se acostumaram com a sua figura; ela, aliás, era tão cumpridora de seus deveres que a granjeira tomou-a sob sua proteção. Ela levava as ovelhas a pastar o tempo que fosse necessário e cuidava dos perus com uma perfeição como se nunca tivesse feito outra coisa na vida, e assim tudo florescia sob suas belas mãos.

    Um dia, sentada à beira de uma fonte cristalina e lamentando a sua triste condição, ela resolveu mirar-se nas águas e se assustou com a horrível pele de asno que lhe cobria a cabeça e o corpo. Envergonhada de sua aparência, ela lavou o rosto e as mãos, que se tornaram mais alvos do que o marfim, e sua bela tez readquiriu o seu frescor natural. A alegria de se ver tão bela trouxe-lhe o desejo de se banhar na fonte, e foi o que ela fez. No entanto, era preciso cobrir-se de novo com a horrível pele para voltar à granja. Felizmente, o dia seguinte era um dia de festa, e assim ela pôde ter folga para fazer aparecer a sua mala, preparar-se, empoar seus lindos cabelos e vestir seu maravilhoso vestido da cor do tempo. Seu quarto era tão pequeno que a cauda do seu lindo vestido não podia ser estendida. A bela princesa mirou e admirou a si própria tão merecidamente que resolveu, para se desentediar um pouco, vestir cada vez um dos seus lindos vestidos nos domingos e dias de festas; e levou avante a ideia religiosamente. Ela entremeava flores e diamantes em seus lindos cabelos, com uma arte admirável, muitas vezes suspirando por não ter outras testemunhas da sua beleza senão as ovelhas e os perus, que a apreciavam da mesma forma quando estava vestida com a pele de asno, nome pelo qual era conhecida na granja.

    Num dia de festa em que Pele de Asno tinha posto o seu vestido da cor do Sol, o filho do rei, de cujas propriedades a granja fazia parte, parou ali para descansar de volta de uma caçada. O príncipe era jovem, belo e admiravelmente bem constituído; era também muito amado pelo seu pai e a rainha sua mãe, e adorado pelo seu povo. Na granja ofereceram ao príncipe uma pequena refeição campestre, que ele aceitou; em seguida pôs-se a percorrer as instalações e todos os recantos da granja. Ao andar assim de um ponto a outro, acabou por se meter por uma aleia escura, no fim da qual viu uma porta fechada. A curiosidade fez com que ele espiasse pela fechadura... e quão transtornado ficou ao ver aquela princesa tão linda e tão ricamente vestida, cuja aparência nobre e recatada o fez supor tratar-se de uma divindade! A impetuosidade da emoção que ele sentiu nesse momento tê-lo-ia levado a forçar a porta, não fosse o respeito que lhe inspirou aquela deslumbrante visão.

    Ele se afastou com pesar daquela aleia sombria e escura, mas apenas com o propósito de se informar sobre a pessoa que habitava aquela pequena choupana. Responderam-lhe que se tratava de uma miserável criatura, conhecida pelo nome de Pele de Asno por causa da pele que a cobria, a qual por ser tão porca e imunda ninguém falava com ela e sequer a olhava; e que ela havia sido aceita por piedade, para cuidar das ovelhas e dos perus.

    O príncipe, insatisfeito com esses esclarecimentos, logo percebeu que aquela gente rústica de nada sabia e que era inútil interrogá-los. Ele retornou ao palácio do rei seu pai inteiramente apaixonado, tendo permanentemente diante dos olhos a linda imagem da divindade que havia visto pelo buraco da fechadura. Arrependeu-se de não ter batido à porta e prometeu a si mesmo que da próxima vez não deixaria de fazer isso. Mas a efervescência do seu sangue, provocada pelo ardor da sua paixão, causou-lhe nessa mesma noite uma violenta febre, que em breve o reduziu a um estado de extrema fraqueza. A rainha sua mãe, que só tinha aquele filho, encheu-se de desespero ao ver que nenhum remédio fazia efeito. Em vão prometia aos médicos as maiores recompensas; eles empregavam toda a sua arte e empenho, mas nada era capaz de curar o príncipe.

Finalmente, eles concluíram que um pesar mortal estava causando todo aquele mal. Comunicaram o fato à rainha, que, cheia de ternura pelo filho, conjurou-o a lhe dizer qual o mal que o afligia; que, se o caso era de ceder-lhe a coroa, o rei seu pai desceria do trono sem nenhum pesar, para que ele pudesse ocupá-lo; que, se era alguma princesa que ele desejava, mesmo que ela pertencesse a um reino com o qual o rei seu pai estivesse em guerra, com justas razões, ainda assim tudo seria sacrificado a fim de se obter o que ele desejava; e que ela lhe rogava não se deixar morrer, pois dependia da dele a vida dos seus pais.

A rainha não conseguiu terminar esse tocante discurso sem que o rosto do príncipe ficasse banhado por uma torrente de lágrimas. "Senhora", falou ele por fim, com uma voz muito fraca, "não sou tão desnaturado para desejar a coroa de meu pai; praza aos céus que ele viva longos anos para que eu continue por longo tempo o mais fiel e o mais respeitoso de seus súditos! Quanto às princesas que a senhora me oferece, ainda não pensei em me casar, e pode ter certeza, minha mãe, que, submisso como sou à sua vontade e à de meu pai, eu irei obedecê-la sempre, custe o que custar!" — "Oh, meu filho!", respondeu a rainha. "Nada pouparei para salvar a sua vida, mas salve a minha e a de seu pai dizendo o que você deseja, e pode estar certo de que será atendido." — "Pois bem, minha mãe", falou ele, "já que tenho de lhe declarar o meu pensamento, vou obedecer; seria um crime de minha parte se pusesse em risco a vida de dois seres que me são muito caros. Sim, minha mãe, desejo que Pele de Asno me faça um bolo e que, tão logo fique pronto, esse bolo seja trazido a mim."

A rainha admirou-se ao ouvir esse nome bizarro e quis saber quem era Pele de Asno. "Trata-se, majestade", falou um de seus escudeiros, que por acaso tinha visto a moça, "de um dos mais horríveis bichos depois do lobo; é uma criatura imunda, de pele negra de sujeira, que se acha alojada numa das granjas do rei e cuida de seus perus." — "Não importa", falou a rainha. "Meu filho, ao voltar da caça, talvez tenha comido algum bolo feito por ela. É um capricho de doente. Em resumo, quero que Pele de Asno (já que existe alguém com esse nome) faça um bolo para ele imediatamente".

Emissários foram mandados às pressas à granja, e Pele de Asno foi chamada, sendo-lhe dada ordem para fazer o melhor bolo que pudesse para o príncipe.

Alguns autores afirmam que Pele de Asno, no momento em que o príncipe pôs o olho na fechadura, notou-o com os seus próprios olhos e que, espiando depois pela sua janelinha, viu um príncipe tão jovem, tão belo e tão bem constituído que sua imagem permaneceu na sua mente, arrancando-lhe de vez em quando alguns suspiros a sua lembrança. Seja como for, o fato é que Pele de Asno, ou porque o tinha visto, ou porque já ouvira falar nele com grandes elogios, ficou encantada por encontrar um meio de se fazer conhecer. Fechou-se, pois, na sua choupana, atirou longe a imunda pele, lavou bem o rosto e as mãos, penteou seus louros cabelos, vestiu um belo corpete prateado e uma saia também prateada e começou a fazer o tão desejado bolo. Usou a farinha mais pura, ovos e manteiga bem frescos. Ao fazer a massa, um anel que ela trazia no dedo desprendeu-se, seja por indústria ou por outra razão, e misturou-se ao bolo. Depois que este ficou pronto, a princesa, envolvendo-se em sua horrenda pele, foi entregá-lo ao escudeiro, a quem indagou notícias do príncipe, mas o homem não se dignou a responder-lhe e partiu às pressas para levar a ele o bolo.

O príncipe tomou-o avidamente das mãos do escudeiro e comeu-o com tal apetite que os médicos, ali presentes, não deixaram de comentar que aquela voracidade não era um bom sinal. Com efeito, o príncipe quase engasgou com o anel que estava num dos pedaços do bolo. Tirou-o, porém, habilmente da boca, e o seu entusiasmo em devorar o bolo diminuiu ao examinar a belíssima esmeralda engastada num aro de ouro tão pequeno que, segundo ele calculou, só poderia servir no dedo mais mimoso do mundo.

Ele beijou mil vezes o anel e escondeu-o debaixo do travesseiro, de onde o tirava a todo momento, quando julgava não estar sendo observado por ninguém. O tormento apossou-se dele ao tentar imaginar como poderia ver aquela em quem o anel certamente serviria, pois não ousava acreditar que, se exigisse a presença de Pele de Asno, que havia feito o bolo pedido por ele, esse seu desejo fosse satisfeito; também não ousava contar o que havia visto pelo buraco da fechadura, receoso de que zombassem dele e que o tomassem por um visionário. Com todas essas ideias a atormentá-lo ao mesmo tempo, sua febre subiu assustadoramente; os médicos, não sabendo mais o que fazer, declararam à rainha que o príncipe estava doente de amor.

A rainha correu ao quarto do filho, acompanhada do rei, que se desesperava: "Meu filho, meu querido filho", falou ele aflito, "diga-nos quem é a moça que você quer, e juramos que você a terá, ainda que ela seja a mais vil de nossas escravas." A rainha, beijando-o, confirmou o juramento do rei. O príncipe, comovido pelas lágrimas e as carícias dos autores dos seus dias, disse-lhes: "Meu pai e minha mãe, não é meu intuito fazer uma aliança que os desagrade", e, retirando a esmeralda de sob o seu travesseiro, continuou: "Como prova dessa verdade, eu desposarei a moça a quem este anel servir. Não me parece que a pessoa que tenha um dedo tão delicado seja uma camponesa ou uma mulher rústica".

O rei e a rainha pegaram o anel, examinaram-no atentamente e concluíram, assim como o príncipe, que ele só poderia servir numa moça de família nobre. O rei então, depois de beijar o filho e concitá-lo a sarar, retirou-se e ordenou que fizessem soar os tambores, pífaros e as trombetas por toda a cidade, com os arautos anunciando que todas as moças deviam ir ao palácio para experimentar o anel, e que aquela em cujo dedo ele servisse perfeitamente desposaria o herdeiro do trono.

Primeiro vieram as princesas, depois as duquesas, as marquesas e as baronesas; nenhuma delas, porém, por mais que tentassem afinar o dedo, conseguiu colocar o anel. Chegou então a vez das jovens artesãs, as quais, por graciosas que fossem, tinham todas elas os dedos muito grossos. O príncipe, que se sentia melhor, fazia ele mesmo a prova. Finalmente, sobraram apenas as camareiras e as criadas; também elas não tiveram melhor sorte. Não restou mais ninguém que não tivesse experimentado, sem sucesso, o anel depois que o príncipe tinha mandado vir as cozinheiras as ajudantes de cozinha e as guardadoras de ovelhas. Toda essa gente foi trazida, mas seus grossos dedos avermelhados e curtos não permitiram que o anel passasse além da unha.

"Alguém já mandou chamar Pele de Asno, que me fez um bolo um dia desses?", indagou o príncipe. Todos se puseram a rir e responderam que não, de tal maneira ela era suja e repugnante. "Pois que ela seja trazida aqui imediatamente", ordenou o rei. "Ninguém poderá dizer que fiz exceção a quem quer que seja". Em meio a risos e zombarias, foram buscar a guardadora de perus.

A infanta, que ouvira os tambores e o brado dos arautos, não teve muitas dúvidas de que fosse o seu anel que estava causando todo aquele alarido. Ela amava o príncipe, e como o verdadeiro amor é timorato e não tem vaidade, ela vivia em constante temor de que alguma dama tivesse o dedo tão fino quanto o seu. Sentiu, pois, uma grande alegria quando vieram procurá-la e bateram à sua porta. Depois que ela soube que estavam à procura de um dedo no qual entrasse o seu anel, não sei que esperança a tinha feito pentear-se com mais cuidado e vestir seu lindo corpete prateado e a sua saia enfeitada de rendas prateadas e incrustada de esmeraldas. Tão logo ouviu as batidas na porta e vozes chamando-a para ir ao palácio do príncipe, ela envolveu-se de novo, rapidamente, em sua pele de asno e abriu a porta. Os mensageiros, sempre zombando dela, disseram-lhe que o rei a chamava para desposar o seu filho. Em seguida, em meio a intermináveis gargalhadas, eles a levaram à presença do príncipe, que, espantado ele próprio com a horrível roupagem da moça, não ousava acreditar ter sido ela a criatura tão resplendente e bela que ele havia visto. Entristecido e confuso por se ter enganado tão absurdamente, ele falou: "É você que mora no fundo de uma aleia escura, numa parte da granja?" — "Sim, meu senhor", respondeu ela. "Mostre-me sua mão", disse ele, estremecendo e soltando um profundo suspiro...

Mas, ó surpresa das surpresas! E os que mais se surpreenderam foram o rei e a rainha, bem como todos os camareiros e fidalgos da corte, quando de sob aquela pele negra e imunda surgiu uma alva e delicada mãozinha cor-de-rosa, a um de cujos mimosos dedinhos o anel se ajustou à perfeição. E logo, a um leve movimento da infanta, a pele caiu ao chão e ela surgiu em tal esplendor e beleza que o príncipe, apesar de ainda enfraquecido, caiu aos seus pés e abraçou os seus joelhos com um tal ardor que a fez corar. Ninguém se deu conta disso, porém, porque o rei e a rainha logo vieram abraçá-la com grande efusão, perguntando-lhe se consentia em desposar o seu filho. A princesa, confusa diante de tantos agrados e do amor que lhe dedicava o belo príncipe, preparava-se para agradecer a todos quando o teto se abriu e dele desceu a Fada dos Lilases, num carro feito com os ramos e as flores do seu nome, e ela então contou, com uma graça infinita, a história da infanta.

O rei e a rainha, encantados por verem que Pele de Asno era uma ilustre princesa, redobraram seus afagos; o príncipe, porém, mostrou-se mais sensibilizado com a virtude da princesa, o que fez o seu amor crescer ainda mais.

A impaciência do príncipe em desposar a princesa era tal que ele mal deu tempo para que fossem feitos preparativos condizentes com tão augustas núpcias. O rei e a rainha, deslumbrados com a sua nora, não se cansavam de fazer-lhe carícias, envolvendo-a constantemente em seus braços. Ela havia declarado que não poderia desposar o príncipe sem o consentimento do rei seu pai. Em vista disso, foi ele o primeiro a receber um convite, sem que lhe fosse dito que a noiva era a sua filha. A Fada dos Lilases, que a tudo presidia, como era de direito, havia exigido isso, por causa de possíveis consequências. Vieram reis de todos os países, uns em liteiras, outros em cabriolés; os mais distantes, montados em elefantes, tigres ou águias. O mais poderoso, porém, e o mais magnificente era o pai da infanta, o qual afortunadamente havia esquecido o seu condenável amor e se casara com uma rainha viúva, muito linda, que ainda não tivera nenhum filho. A infanta correu ao seu encontro; ele a reconheceu imediatamente e a abraçou com muita ternura antes que ela tivesse tempo de ajoelhar-se aos seus pés. O rei e a rainha apresentaram-lhe o seu filho, que ele cumulou de gentilezas. As núpcias foram realizadas com a pompa esperada. Os jovens esposos, pouco sensíveis a essas magnificências, só tinham olhos um para o outro.

O rei, pai do príncipe, fez coroar o filho nesse mesmo dia e, beijando-lhe a mão, instalou-o no trono, apesar de toda a resistência oferecida por aquele seu filho tão bem nascido. Era forçoso a ele obedecer. As festas desse augusto casamento duraram quase três meses; mas o amor dos dois esposos duraria até hoje, de tal forma eles se amavam, se os dois já não tivessem morrido há cem anos.

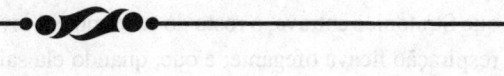

COMENTÁRIO

Noel du Fail, no século XVI, em seus *Contes d'Eutrapel*, menciona Cuir d'asnette como uma das histórias que eram contadas outrora ao pé do fogo, como distração. Oudin, em suas *Curiosités françaises*, faz menção aos contos de *Cuir d'asnon*, ao lado dos da *Cegonha*, do *Lobo* e da *Carochinha*. Scarron, no capítulo VIII do *Roman comique*, mostra que não havia nada mais comum do que a imitação de *Pele de Asno*. Sabe-se também que La Fontaine escreveu:

Charles Perrault

Se Pele de Asno me fosse contada,
Eu sentiria um prazer extremo,

muitos anos antes que Perrault apresentasse em versos esse mesmo tema. Quanto à versão de *Pele de Asno* incluída nas *Novelas* publicadas sob o nome de Bonaventure Des Périers, ela tem alguns pontos semelhantes não com essa história propriamente dita mas com as aventuras de Cinderela.

A origem desse belo conto bem poderia ser mítica.

À semelhança da Bela Adormecida, Pele de Asno representa, se se quiser, a Natureza despojada de seu esplendor pelo inverno e voltando a recuperá-lo. Os três vestidos da princesa, que reaparecem quando de sua libertação final — os três trajes da *cor do sol, da cor da lua e da cor do tempo* — parecem um traço ainda perceptível de um mito primitivo. O rei que deseja desposar a moça seria então o Sol, o velho Sol do outono, ao passo que o príncipe que a livra da humilhação e lhe devolve sua realeza, representaria o novo Sol da primavera.

A essência das narrativas populares está em que elas são susceptíveis a infinitas variações, sendo-lhes acrescentados traços que primitivamente lhes eram estranhos. O disfarce de Pele de Asno, ajudante de cozinha, tem o seu correspondente em numerosos outros contos de todos os países; com a diferença que, comumente, é escondendo nos alimentos preparados por ela o anel dado pelo seu noivo que a princesa disfarçada consegue fazer-se reconhecer.

A dor do futuro esposo de Pele de Asno faz lembrar a paixão do jovem Antiochus, em Valere Maxime (VIII):

"... Ele se encontrava estendido sobre o leito, semelhando um moribundo; sua família estava em lágrimas; seu pai, acabrunhado de dor, antevia a perda do filho único, que ia deixar desamparada sua triste velhice. O palácio lembrava antes uma casa funerária do que a morada de um rei. Mas essa nuvem de tristeza foi felizmente dissipada pela sagacidade do astrólogo Leptine, ou, segundo outros, do médico Erasístrato. Sentado à cabeceira de Antiochus, ele observou que, sempre que Stratonice entrava, o rosto do enfermo era invadido por um súbito rubor e sua respiração ficava ofegante; e que, quando ela saía, ele voltava a ficar pálido e a respirar mais livremente. A atenta observação desses sintomas fez com que ele apreendesse a verdade. A cada entrada e saída de Stratonice, ele segurava disfarçadamente o braço do príncipe, e pelo seu pulso, cujas batidas ora se tornavam fortes, ora fracas, ele concluiu qual era a causa da doença; e não tardou a dar disso ciência a Seleucus..."

AS FADAS

Era uma vez uma viúva que tinha duas filhas. A mais velha se parecia tanto com ela, no físico e no temperamento, que quem via a filha, via a mãe. As duas, mãe e filha, eram tão desagradáveis e tão orgulhosas que viver com elas era impossível. A caçula, que era o retrato do pai, por sua doçura e bondade tinha ainda a seu favor o fato de ser uma das moças mais lindas que se pode imaginar. Como todo mundo gosta é de quem lhe é semelhante, a mãe era louca pela filha mais velha e, por outro lado, tinha uma terrível aversão pela caçula. Obrigava-a a comer na cozinha e a trabalhar sem descanso.

Cumpria à pobre menina, entre outras coisas, ir buscar água duas vezes por dia num lugar distante uma boa meia-légua da sua casa, de onde trazia um grande cântaro cheio até as bordas. Um dia ela se achava junto à fonte quando apareceu uma pobre mulher que lhe pediu um pouco de água para beber. "Pois não, minha boa mulher", disse a bela moça, e, depois de lavar rapidamente o cântaro, encheu-o onde a água da fonte era mais cristalina e o ofereceu à mulher, segurando-o para que ela pudesse beber mais à vontade. Após ter bebido, a boa mulher lhe disse: "Você é tão bonita, tão gentil e tão boa que não posso deixar de lhe conceder um dom (pois ela era uma fada que havia assumido a forma de uma mulher pobre da aldeia a fim de ver até onde ia a bondade daquela jovem). Você terá o dom de fazer sair pela sua boca, a cada palavra que disser, uma flor ou uma pedra preciosa".

Quando a linda moça chegou em casa, a mãe repreendeu-a por voltar tão tarde da fonte. "Peço-lhe perdão, minha mãe", respondeu a pobre moça, "por ter demorado tanto" — e ao dizer essas palavras saíram de sua boca duas rosas, duas pérolas e dois enormes brilhantes. "Que vejo?", disse a mãe, grandemente admirada. "Parece-me que estão saindo de sua boca pérolas e brilhantes! De onde vem isso, minha filha?" (Era a primeira vez que a chamava de filha). A pobre moça contou-lhe ingenuamente tudo o que lhe havia acontecido, não sem deitar pela

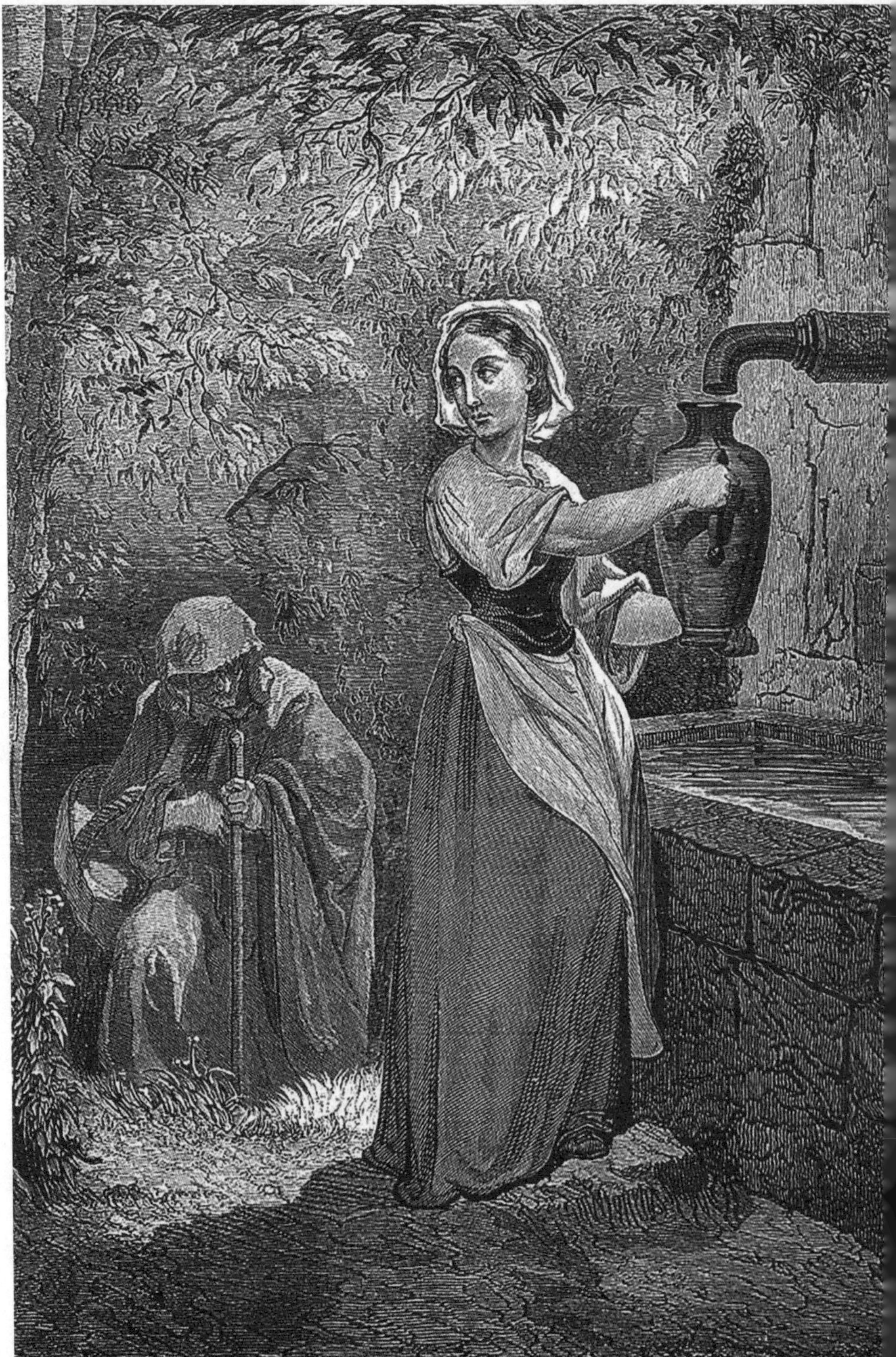

boca, enquanto falava, uma infinidade de diamantes. "Com efeito", falou a mãe, "preciso mandar minha filha até lá. Olhe só, Franchon, veja o que está saindo da boca de sua irmã, quando ela fala. Você não gostaria de ter também esse dom? É só você ir buscar água na fonte, e quando uma pobre mulher lhe pedir um pouco de água para beber você deverá atendê-la com toda a gentileza." — "Era só o que me faltava", retrucou a grosseirona da outra filha, "ir buscar água na fonte!" — "Pois quero que você vá", retrucou a mãe, "e agora mesmo!".

Ela foi, mas sempre resmungando. Pegou o mais bonito vaso de prata que havia na casa e mal tinha chegado à fonte viu sair do bosque uma dama esplendidamente vestida, que lhe pediu um pouco de água. Era a mesma fada que havia aparecido à sua irmã, mas que agora assumira os ares e os trajes de uma princesa, para ver até onde ia a grosseria daquela moça. "Você acha que vim até aqui para lhe dar de beber? Que trouxe um vaso de prata expressamente para dar de beber à ilustríssima? Que beba você mesma, se quiser." — "Você não é nada gentil", retrucou a fada, sem se encolerizar. "Pois bem! Já que é tão pouco prestimosa, eu lhe darei este dom: a cada palavra que disser sairá de sua boca uma cobra ou um sapo".

Logo que a mãe a viu chegar, gritou para ela: "E então, minha filha?" — "E então, minha mãe?", respondeu-lhe a grosseirona, soltando pela boca duas víboras e dois sapos. "Céus", exclamou a mãe. "Que vejo! É sua irmã a culpada, ela me pagará". E logo correu para lhe dar uma sova. A pobre moça fugiu e foi esconder-se numa floresta próxima. O filho do rei, que retornava da caça, viu-a e a achou tão linda que quis saber o que fazia ela ali sozinha e qual o motivo por que chorava. "Ai de mim, meu senhor", respondeu ela, "a minha mãe me expulsou de casa". O filho do rei, que acabara de ver sair de sua boca cinco ou seis pérolas e um igual número de brilhantes, pediu-lhe que lhe explicasse de onde vinha tudo aquilo. Ela lhe contou toda a sua história. O filho do rei apaixonou-se por ela e, considerando que semelhante dom valia mais do que tudo o que uma noiva pudesse levar de dote, conduziu-a ao palácio do rei seu pai, onde a desposou.

Quanto à sua irmã, ela se tornou uma pessoa tão odiosa que sua própria mãe a escorraçou de casa. E a infeliz, depois de ter procurado em vão uma pessoa que a acolhesse, foi morrer sozinha num recanto perdido do bosque.

COMENTÁRIO

Essa história é encontrada em quase todos os povos, com um grande número de variações, porém. O fundo é sempre o mesmo: duas irmãs se dirigem a um ser dotado de poderes sobrenaturais, uma com benevolência, respeito e doçura, a outra com insolência e má vontade. A primeira é recompensada, a segunda punida. Entre os numerosos contos alemães baseados nesse tema, citaremos *Dame Holle* (GRIMM, nº 24). A história pode também ser identificada na Suécia (ASBJØRNSEN, *As Duas Irmãs*, 3ª ed., nº 15); em Nápoles (As Três Fadas, BASILE, Pentamerone, jorn. III, nov. 10); em Valachie (WOLF, *Journal de mythologie*, I, p. 42); na Catalunha (*As Duas Moças*); MILÀ Y FONTANALS, *Observações sobre a poesia popular*; em Piémont (*Marion dos bosques*, WESSELOFSKY, *Novela da filha do rei de Dácia*, p. XXIX, nº 1); na Eslovênia (BOJEVA NEMÇOVA, Contos eslovenos, traduzida em Chodzko, *Histórias dos camponeses e dos pastores eslavos*, p. 15. Laboulaye fez da história uma feliz imitação: *Contos Azuis, os Doze Meses*). Num conto sérvio (VOUK STEPANOVITCH nº 35), o tema dessa história se funde com o correspondente ao do *Pequeno Polegar*.

As fadas de Perrault, tão doces para os bons de coração, tão severas para as almas perversas, lembram — embora mostrando-se superiores por sua poesia e finura — Júpiter e Mercúrio ao agirem, na fábula de Esopo, como justiceiros e premiadores. Essa fábula fora reescrita por Rabelais, antes de La Fontaine, segundo seu estilo agradável e cínico. Sua historieta não é suficientemente decente para que possa ser incluída nestas páginas. Contudo, é possível destacar dela pelo menos a cena da felicidade do lenhador, agraciado pelos deuses não apenas com sua antiga machadinha de ferro mas também com uma de prata e outra de ouro.

"... Ele agradece polidamente a Mercúrio, reverencia o grande Júpiter e parte, com a velha machadinha presa ao cinto de couro e as outras duas, mais pesadas, penduradas ao pescoço. E assim vai ele, a se pavonear por toda parte, fazendo bela figura entre os vizinhos e dizendo-lhes a pequena frase de Patelin: "Não estou com tudo?"[9]. No dia seguinte, vestindo um comprido blu-

---

[9] Patelin é uma célebre farsa do século XV. A frase — "En ai-je?", no original — por estar fora de contexto tem um sentido obscuro. Na tradução, foi feita simplesmente uma tentativa de adequá-la à atitude do lenhador. — N. da T.

são branco, ele lança aos ombros as duas preciosas machadinhas e se dirige a Chinon, cidade insigne, cidade nobre, cidade antiga, na verdade a primeira do mundo. Em Chinon, troca sua machadinha de prata por belas patacas e outras moedas brancas, e a machadinha de ouro por belos dobrões, por carneiros bem felpudos[10], por belos reais, por escudos refulgentes ao sol. E com eles compra muitas fazendas, muitas granjas, muitas quintas, muitas herdades, muitas casas de campo; e prados, vinhas, bosques, terras aráveis, pastagens, açudes, moinhos, pomares, salgueirais; e bois, vacas, ovelhas, carneiros, cabras, porcos, porcas, asnos, cavalos, gansos, patos, patas, e a miuçalha toda. Dentro de pouco tempo ele se torna o homem mais rico do lugar; de fato, mais rico ainda que Maulevrier, o Coxo." (Livro IV, *Nouveau prologue*.)

---

10 Referência a uma antiga moeda de ouro, na qual se achava impressa a cabeça de um carneiro. — N. da T.

BARBA-AZUL

Era uma vez um homem que possuía belas casas na cidade e no campo, baixelas de ouro e de prata, móveis de madeira lavrada e carruagens douradas. Mas, para sua infelicidade, esse homem tinha a barba azul, e isso o tornava tão feio e tão assustador que não havia nenhuma mulher e nenhuma moça que não fugisse da sua presença.

Uma de suas vizinhas, dama de alta nobreza, tinha duas filhas extremamente belas. Ele pediu-lhe uma delas em casamento, deixando à mãe a decisão de qual seria a escolhida. Nenhuma das duas concordou em aceitá-lo, e o empurravam uma para a outra, sem coragem de casar com um homem que tinha a barba azul. O que as desgostava ainda mais era que ele já havia desposado diversas mulheres, sendo que ninguém sabia o fim que elas tinham levado.

Barba-Azul, para travar conhecimento com as duas moças, levou-as com sua mãe, juntamente com umas três ou quatro de suas melhores amigas e algumas jovens das vizinhanças, para passarem oito dias em uma de suas casas de campo. Foi uma sucessão de passeios, de caçadas e pescarias, de danças, banquetes e ceias. Ninguém dormia, e todos passavam as noites a fazer brincadeiras e a pregar peças uns nos outros. Enfim, tudo ia tão bem que a irmã caçula começou a achar que a barba do dono da casa já não era tão azul assim e que ele era um homem bastante agradável. Tão logo retornaram todos à cidade, o casamento foi realizado.

Ao fim de um mês, Barba-Azul disse à mulher que era obrigado a fazer uma viagem à província para tratar de um assunto importante, devendo ficar fora umas seis semanas, pelo menos. Recomendou-lhe que se divertisse durante sua ausência, convidando suas amigas mais íntimas para visitá-la e levando-as ao campo, se quisesse, podendo ficar inteiramente à vontade. "Aqui estão as chaves dos dois grandes armários", disse ele, "e estas aqui são as das baixelas de ouro e de prata, que não são usadas todos os dias; e estas, as dos meus cofres-fortes, onde estão

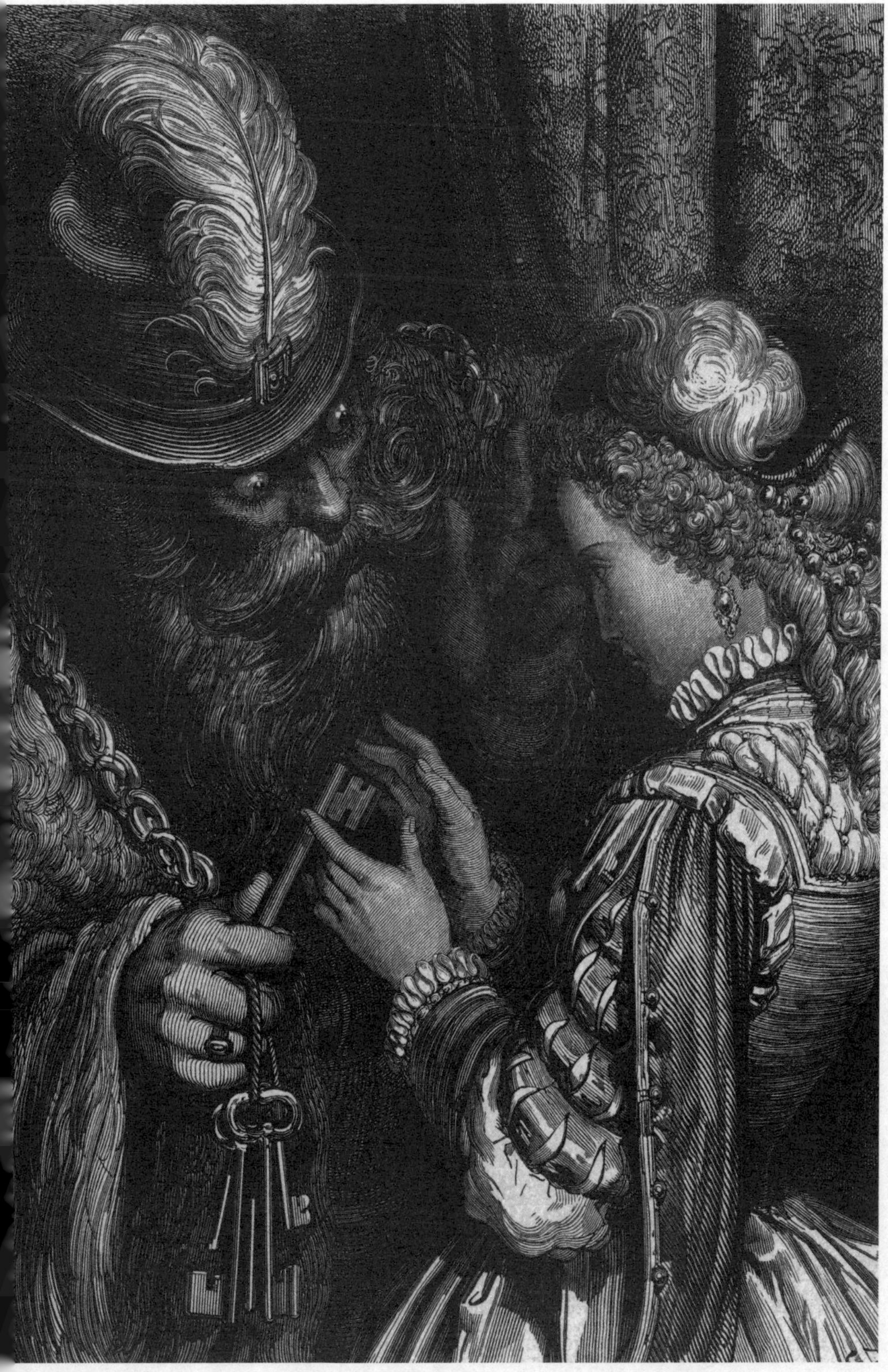

guardados o meu ouro e o meu dinheiro; aqui estão também as chaves das caixas onde se acham as minhas pedrarias, e finalmente esta aqui abre todos os aposentos do palácio. Quanto a esta chavezinha aqui, é a do quarto que fica no final da grande galeria do andar inferior. Você pode abrir tudo, ir a toda parte, mas nesse pequeno cômodo está proibida de entrar. E é uma proibição tão rigorosa que, se você se aventurar a abri-lo, não há nada que não deva esperar da minha cólera".

Ela prometeu observar rigorosamente tudo o que ele havia ordenado, e o marido, depois de abraçá-la, entrou na carruagem e partiu.

As vizinhas e as amigas não esperaram que as fossem buscar para visitar a jovem recém-casada, tal era a sua impaciência em conhecer todas as riquezas da casa. Não tinham ousado ir lá quando o marido se achava presente por causa de sua barba azul, que lhes infundia temor. Logo se puseram a percorrer os salões e os quartos e a abrir os guarda-roupas onde se viam dezenas de trajes, cada qual mais belo e mais suntuoso do que o outro. Depois subiram para os aposentos onde eram guardadas as riquezas, e não se cansaram de admirar a quantidade e a beleza das tapeçarias, dos leitos, dos sofás, dos armários, dos consolos, das mesas e dos espelhos, nos quais a pessoa podia mirar-se dos pés à cabeça e cujas guarnições, ora de cristal, ora de prata ou de cobre, eram as mais belas e suntuosas que se pode imaginar. Elas não cessavam de exaltar tudo o que viam, invejando a felicidade da amiga, que, entretanto, não conseguia achar encanto em nenhuma daquelas riquezas devido à impaciência em que se achava de ir abrir o cômodo do andar de baixo.

Sua curiosidade foi tão forte que, sem refletir que era indelicado de sua parte largar sozinhas as suas visitas, ela desceu por uma escada secreta com tanta precipitação que por duas vezes quase quebrou o pescoço. Chegando à porta do quartinho, ela parou um instante, recordando a proibição que o marido lhe havia feito e refletindo que talvez lhe sucedesse alguma desgraça por sua desobediência.

Entretanto, a tentação era tão grande que ela não conseguiu vencê-la. Pegou, pois, a chavezinha e, toda trêmula, abriu a porta do quarto.

No princípio não enxergou nada porque as janelas estavam fechadas. Após alguns instantes começou a ver que o chão estava todo coberto de sangue coagulado, no qual se refletiam os corpos de várias mulheres mortas, pregadas ao longo das paredes. Eram todas as mulheres que Barba-Azul havia desposado e às quais havia cortado o pescoço, uma após a outra. Ela pensou morrer de pavor, e a chave do quarto, que tinha acabado de tirar da fechadura, caiu-lhe da mão.

Após se refazer um pouco do susto, ela apanhou a chave, fechou de novo a porta e foi para o seu quarto, a fim de se recompor. Não conseguiu, porém, acalmar-se, de tal forma estava chocada.

Ao notar que a chave do quartinho estava manchada de sangue, ela lavou-a duas ou três vezes, mas o sangue não desaparecia; por mais que a esfregasse e areasse, a mancha de sangue permanecia, pois a chave era encantada e não havia absolutamente nada que a pudesse limpar. Quando se conseguia tirar o sangue num lado, ele surgia no outro...

Barba-Azul voltou naquela noite mesma da sua viagem, explicando que tinha recebido algumas cartas no caminho, nas quais era informado de que os negócios que o tinham feito partir acabavam de ser resolvidos a seu favor. Sua mulher fez tudo o que pôde para mostrar que se sentia encantada com a sua volta.

No dia seguinte ele pediu as chaves de volta e ela as devolveu com mão trêmula, fazendo com que ele facilmente adivinhasse o que tinha acontecido. "Qual a razão", perguntou ele, "de não se encontrar aqui junto com as outras a chave do quartinho?" — "Acho que a deixei lá em cima, na minha mesa", ela falou. "Não deixe de me trazê-la o mais breve possível", disse Barba-Azul.

Após muita delonga, a chave teve de ser trazida, afinal. Barba-Azul, depois de examiná-la, disse à mulher:

"Por que há sangue nesta chave?". — "Não posso saber a razão", respondeu a pobre criatura, mais pálida do que a morte. "Você não sabe a razão", retrucou Barba-Azul. "Pois eu sei muito bem. Você quis entrar no quarto. Pois bem, minha senhora, você vai entrar lá de novo e ocupar o seu lugar ao lado das damas que lá estão".

Ela lançou-se aos pés do marido, chorando e suplicando o seu perdão, com todas as mostras de um sincero arrependimento por não ter obedecido suas ordens. Bela e desesperada como estava, ela teria comovido uma rocha, mas Barba-Azul tinha um coração mais duro do que todas as rochas. "Você vai ter de morrer", disse-lhe ele, sem maiores contemplações. "Já que tenho de morrer", falou ela, contemplando-o com olhos inundados de lágrimas, "conceda-me um pouco de tempo para eu orar a Deus." — "Dou-lhe um quarto de hora", disse Barba--Azul. "Nem um segundo mais".

Quando se viu só, ela chamou a irmã e disse: "Minha irmã Ana (era esse o seu nome), suba até o alto da torre, eu lhe peço, para ver se meus irmãos já estão vindo. Eles prometeram que viriam visitar-me hoje. Se você os enxergar, faça sinais a eles para que se apressem". A irmã Ana subiu até o alto da torre, enquanto a pobre e aflita criatura gritava-lhe de minuto a minuto: "Ana, minha irmã Ana, você não vê ninguém vindo?" E a irmã Ana respondia: "Não vejo nada a não ser o sol que cintila e o capim que verdeja".

Enquanto isso, Barba-Azul, empunhando um enorme facão, berrava com todas as suas forças: "Desça logo, ou vou aí te buscar!" — "Espere um instante, por favor", respondia a mulher, e logo gritava para a irmã, abafando a voz: "Ana, minha irmã Ana, você não vê ninguém vindo?" E a irmã Ana respondia: "Não vejo nada a não ser o sol que cintila e o capim que verdeja".

"Trate de descer logo", bradava Barba-Azul, "ou vou aí em cima te buscar!" — "Já estou indo", respondeu a mulher, e em seguida gritou: "Ana, minha irmã Ana, você não vê ninguém vindo?" — "Eu vejo", respondeu a irmã Ana, "uma grande nuvem de pó vindo para cá..." — "São os meus irmãos?" — "Infelizmente não, minha irmã! Vejo um rebanho de carneiros..." — "Você não vai descer?", berrou Barba-Azul. "Um instantinho só", respondeu sua mulher, e depois gritou: "Ana, minha irmã Ana, você não vê ninguém vindo?" — "Vejo dois cavaleiros vindo para cá, mas estão muito longe ainda." — "Deus seja louvado!", exclamou ela logo depois. "São meus irmãos. Fiz todos os sinais que foi possível para que eles se apressem".

Barba-Azul pôs-se a berrar com tal força que toda a casa estremeceu. A pobre mulher desceu até onde ele se achava e lançou-se aos seus pés, em pranto e toda desgrenhada. "Isso de nada adianta", falou Barba--Azul. "Você vai ter de morrer." Em seguida, agarrando-a pelos cabelos com uma das mãos e com a outra erguendo no ar o facão, ele preparou--se para cortar-lhe a cabeça. A pobre mulher, voltando para ele o rosto e fixando nele um olhar moribundo, suplicou-lhe que lhe concedesse um minuto de recolhimento. "Não, não", falou ele, "recomende sua alma a

Deus", e erguendo o braço... Nesse momento bateram à porta com tanta força que Barba-Azul se deteve instantaneamente. A porta se abriu e imediatamente entraram dois cavaleiros de espada em punho, que avançaram diretamente sobre Barba-Azul.

Ele reconheceu os irmãos de sua mulher, sendo que um deles era dragão da cavalaria e o outro mosqueteiro, e em vista disso tratou de escapulir. Mas os dois irmãos o perseguiram tão de perto que o agarraram antes que ele chegasse à escadaria externa e lhe trespassaram o corpo com suas espadas, deixando-o estirado e morto ali. A pobre mulher estava quase tão morta quanto o marido e nem forças tinha para se levantar e abraçar os irmãos.

Verificou-se que Barba-Azul não tinha herdeiros, e assim sua mulher tornou-se dona de todos os seus bens. Uma parte de sua fortuna ela empregou arranjando o casamento de sua irmã Ana com um jovem fidalgo que já a amava havia muito tempo; uma outra parte ela usou para comprar patentes de capitão para os seus dois irmãos; e o resto foi empregado no seu próprio casamento com um homem muito bondoso, que a fez esquecer os tristes tempos que havia vivido com Barba-Azul.

Comentário

O nome de Barba-Azul foi, no século XV, o apelido de um homem que deixou na história da nossa antiga província da Bretanha uma marca abominável. Esse homem era Gilles de Laval, senhor de Rais e marechal de França — um tipo violento, pervertido pelo exemplo, que havia encontrado no historiador Suetônio, dos horrendos crimes cometidos por alguns imperadores, e que aliava a uma loucura sanguinária algumas ridículas práticas de superstição. Foi enforcado e queimado em Nantes, a 26 de outubro de 1440.

Os maridos cruéis não eram raros nos torreões da velha França, e mesmo nos castelos menos macabros dos séculos XVI e XVII. A lista é longa, incluindo desde o senhor de Fayel, que fez assar no espeto o coração de Coucy, até o esposo de Françoise de Foix, o qual, segundo se dizia, manteve sua mulher enterrada viva durante vários anos numa câmara sepulcral toda revestida de negro. Parece, entretanto, que Barba-Azul apresenta alguns traços do rei da Inglaterra, Henrique VIII, cuja sexta mulher, Catherine de Parr, só escapou a duras penas à sorte das outras esposas de seu temível amo e senhor, conseguindo afinal sobreviver a ele e se casar de novo um ano depois. A história de Henrique VIII é conhecida popularmente na França e narrada em livros escritos para o povo. Embora não figure na *Bibliothèque bleue*, pode ser encontrada no *Pédagogue chrétien*, obra bastante ingênua do padre d'Oultreman (1665).

Na realidade, cada província de nosso país possuía, nesse gênero, o seu personagem-tipo, seja histórico, seja lendário. A imaginação popular tinha a acrescentar pouca coisa de seu, ao apresentar tipos muito perversos, quando a realidade já lhe mostrava homens tão cruéis como os fidalgotes de Auvergne, ou um Espinchal, um barão de Sénégas, cujo retrato Fléchier nos dá em suas *Mémoires*.

O derviche cujas aventuras são narradas nos capítulos LIII-LXII das *Mil e Uma Noites*, vê-se exposto pelas quarenta damas, suas boas amigas, à mesma tentação por que passa a mulher de Barba-Azul. Ele também sucumbe e, como castigo, fica zarolho. Uma história semelhante é narrada, em época mais antiga, numa coletânea em sânscrito intitulada *Vrihaï-Katha* e no *Hitopadesha*.

É na versão francesa que a história de Barba-Azul apresenta o maior número de detalhes originais. Entretanto, pode ser feita a comparação: O *Pássaro extraordinário*, em alemão (GRIMM, nº 46); *As Três Irmãs que foram encerradas na montanha*, em dinamarquês (ASBJØRNSEN. 3ª ed., nº 35); *As Três Irmãs que Casam com o Diabo*, em veneziano (no anuário alemão de literatura romana[11], t. VII, p. 148; *O Cavalo Encantado*, em gaélico (CAMPBELL, nº 41); *As Três Mulheres de Wetchinen* em finlandês (SALMELAINEN, t. II, p. 187); *As Três Irmãs*, em valáquio (no jornal alemão Ausland, 1856, p. 173); *A Cabeça de Cão*, em grego (HAHN, nº 19); *As Três Mulheres do Gigante*, em catalão (MILA Y FONTANALS, Observações). Em todas essas histórias, o esposo feroz (que só se chama Barba-Azul em francês) casa-se sucessivamente com as três irmãs; todas as três infringem a proibição que lhes é feita de abrir uma determinada porta. As duas primeiras são vítimas de sua curiosidade, mas a terceira, por sua habilidade, consegue ressuscitá-las e libertá-las. Naturalmente, o marido é castigado por sua crueldade.

É, aliás, encontrado em muitas outras histórias populares o caso da mulher que, por não ter conseguido dominar sua curiosidade e por violar uma ordem formal, atrai sobre sua cabeça as maiores desgraças. É esse o tema de uma das histórias mais originais da Alemanha (*O Filho de Maria* GRIMM, nº 3).

A mulher de Barba-Azul não tem nome próprio na história, mas a irmã da castelã tem o seu nomezinho escrito com todas as letras: é "minha irmã Ana", assim como se vê no romance cartaginês do VI Livro da Eneida e na tradução burlesca

---

[11] REINHOLD KOHLER, *Jahrbuch für romanische Literatur.*

que dele fez Scarron:

> "Tão logo ela viu a luz,
> chamou sua camareira,
> E disse: "Faz vir aqui
> Minha irmã, pois quero entretê-la."
> Tinha por nome Ana a irmã,
> A tez cor de oliva e um enorme nariz,
> Do que a irmã era bem menos bela,
> Mas querida por sua doçura,
> Capaz de prestar bons serviços,
> E saber quando falar e calar...
> ....
> Tão logo a viu a rainha,
> com as faces rubras lhe disse:
> "Oh, minha irmã Ana, minha amiga..."

Essa personagem da confidente, irmã caçula ou prima, sempre fiel e dedicada, já era encontrada, antes de Scarron e Perrault, em vários romances de cavalaria — por exemplo, Dariolette, a amiga de Élisenne, em Amadis — segundo o modelo dado por Virgílio e também tirado, mais frequentemente, da vida real. A dama do castelo medieval mantinha comumente junto de si algum parente pobre ou ainda não provido de bens, como companhia para as longas horas de reclusão e solidão.

A torre de vigia, do alto da qual os guardas velam, observando os campos circundantes, é mencionada com frequência nas poesias antigas — sem falar na torre de Madame Malbrough.

Uma das mais antigas referências a essas sentinelas, na poesia, é encontrada no início da tragédia de Ésquilo, intitulada Agamenon. A culposa Clitemnestra, que não deseja ser surpreendida pela chegada do Rei dos Reis, deu ordens para que fogueiras acesas à noite no alto das montanhas transmitissem a notícia da chegada dos navios ao porto, trazendo os vencedores de Troia. Um guarda vela todas as noites em Argos, no terraço do palácio. É a esse humilde servidor que o poeta confia a tarefa de expor o seu nobre drama.

Num clima mais nebuloso e numa noite mais sombria, velam também as sentinelas do palácio do rei da Dinamarca, visitadas em seu gélido posto pelo fantasma do pai de Hamlet.

Cambry, em sua *Voyage du Finistère*, narra que, à margem direita do Laita, curso d'água formado pela junção do Isole e do Ellé, ele deparou com vastas ruínas, em meio a sarças, espinheiros e plantas de toda natureza, e até mesmo frondosas árvores, que haviam brotado no lugar; as torres ainda subsistiam, solitárias e temíveis. Tratava-se do castelo de Carnot, outrora residência de um barão Barba-Azul, que degolava suas esposas no momento em que elas ficavam ameaçadas de ser mães. A irmã de um santo tornou-se sua esposa; convencida, ao se aperceber de seu estado, de que teria de pôr um termo à gravidez, ela fugiu. Seu cruel esposo perseguiu-a, conseguiu alcançá-la, cortou-lhe a cabeça e retornou ao castelo. O santo, seu cunhado, informado dessa barbaridade, ressuscita a irmã e se dirige a Carnot. Ali chegando, recusam-lhe baixar a ponte levadiça. Diante da terceira recusa ao seu pedido, ele pega um punhado de pó e o lança ao ar; uma parte do castelo afunda com o seu amo — e até hoje ainda existe o buraco por onde ele desapareceu. Ninguém jamais ousou penetrar nele — diz o povo do lugar — sem se tornar presa de um enorme dragão.

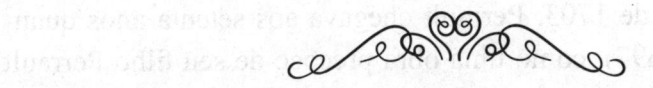

APÊNDICE

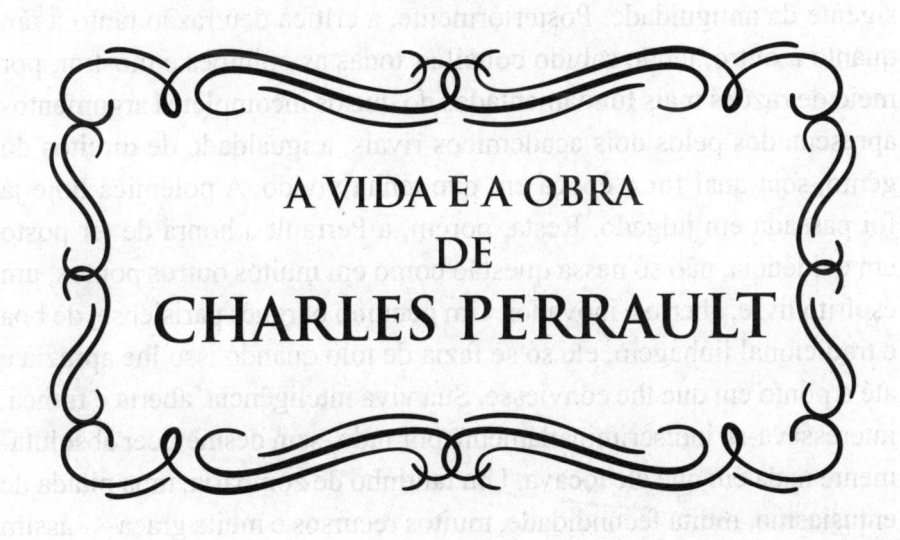

A VIDA E A OBRA DE CHARLES PERRAULT

Charles Perrault

Charles Perrault nasceu em Paris no dia 12 de janeiro de 1628 e morreu em maio de 1703. Perrault chegava aos setenta anos quando publicou (em 1697), como uma obra precoce de seu filho Perrault d'Armancourt, de dez anos de idade, os contos que viriam a obter celebridade universal. A história literária não esquece o papel que ele teve na grande discussão sobre os méritos respectivos dos antigos e dos modernos; promotor desse debate, provocado pelos vivos elogios que ele havia feito ao seu século, em detrimento de todas as épocas precedentes, ele não se deixou intimidar diante da ira de Boileau, defensor intransigente da antiguidade. Posteriormente, a crítica deu razão tanto a um quanto a outro, tendo sabido conciliar todas as opiniões e mostrar, por meio de razões mais fundamentadas do que os incompletos argumentos apresentados pelos dois acadêmicos rivais, a igualdade de direitos do gênio, seja qual for a época em que tenha vivido. A polêmica hoje já foi passada em julgado. Resta, porém, a Perrault a honra de ter posto em evidência, não só nessa questão como em muitos outros pontos, um espírito livre, aberto e inovador. Um genuíno burguês parisiense, de boa e tradicional linhagem, ele só se fazia de tolo quando isso lhe aprazia e até o ponto em que lhe conviesse. Sua viva inteligência, aberta e franca, interessava-se indiscriminadamente por tudo, sem desmerecer absolutamente nada em que ele tocava. Um tantinho de zombaria, uma pitada de entusiasmo, muita fecundidade, muitos recursos e muita graça — assim era o caráter desse homem amorável, cujo tipo ainda hoje nada tem de cediço e de ultrapassado.

Perrault aprendeu a ler no colo da mãe; seu pai foi seu primeiro preceptor e mais tarde seu orientador nos estudos, depois que o menino entrou para um colégio externo, do qual retornava à casa no fim da tarde. Esses estudos, porém, não chegaram ao seu termo normal; Perrault não chegou a terminar no colégio o curso de Filosofia. Por um certo enfado de aluno inquieto e indagador, que leu dois ou três livros novos, desconhecidos ou desprezados pelo mestre, que contesta e argumenta precocemente, a quem o mestre obriga a calar e que com isso se irrita, ele abandonou o colégio definitivamente. Os colégios de Paris contavam, para cada mestre competente e instigante, com dezenas de repetidores de aulas decoradas, que se baseavam unicamente em velhos cadernos escolásticos e encaravam como sendo falsas, temerárias e condenáveis as novidades ensinadas por Descartes em seu *Discurso sobre o Método*, a obra revolucionária dessa época. Perrault, juntamente com um jovem companheiro, estudou, sem mestre mas bem provido de livros, seguindo sua própria inspiração, e leu muito. "Se sei alguma coisa", escreveu ele em suas *Memórias*, "eu o devo particularmente aos três ou quatro anos de estudos feitos dessa maneira". Suas aquisições literárias, atestadas pelos numerosos sumários feitos por ele, foram um pouco heterogêneas, mas a sua base eram os clássicos latinos. Entretanto, Perrault e seu companheiro não eram tão devotados à nobre antiguidade romana a ponto de não cederem ao gosto, recentemente posto em voga por Scarron, de fazer paródias burlescas desses clássicos. Em certa ocasião ele foi auxiliado por um seu irmão, médico e arquiteto, e por um outro, doutor pela Sorbonne. É com a colaboração de ambos que foi feita uma paródia, que teve uma certa notoriedade, de um trecho do Livro IV da *Eneida*. Virgílio havia apresentado os seus heróis como se eles tivessem conservado, nos Campos Elísios, os hábitos de sua vida terrestre. Os parodistas afirmavam, em consequência, que ali se via a *sombra de um cocheiro*

"Que, empunhando a sombra de uma escova,
Limpava a sombra de um coche".

Charles Perrault conservou sempre uma ponta dessa ironia, aguçada na sua juventude, o que não o impediu de exercer sucessivamente várias e respeitáveis profissões e de se fazer notar por seu grande senso prático. Advogado, suplente de seu irmão mais velho, que era chefe da Receita Pública em Paris, e mais tarde contratado por Colbert para exercer a superintendência das construções reais, ele adquiriu em todos esses encargos uma reputação de pessoa versada em todos os assuntos, inclusive na arte de fazer versos, em decoração e em arquitetura. Frequentemente tinha coisas novas a sugerir, sendo sempre ouvido por Colbert. Contudo, entre todas as suas sensatas ideias, convém citar aqui uma cujos benefícios duram até nossos dias. Colbert queria fechar ao público o Jardim das Tulherias, e foi Perrault quem o dissuadiu da ideia. O amigo e mágico das crianças, o autor dos contos de fadas retrata-se fielmente quando relata, em suas *Memórias* sua louvável insistência sobre essa questão. E como disse Sainte-Beuve, lembrando as Tulherias abertas e públicas, onde a infância tem passado ao longo dos anos tantas horas felizes, seria bom que nesse jardim todo povoado de estátuas se pudesse ver o busto em mármore de Perrault à sombra de uma frondosa castanheira.

Pouco tempo depois de completar cinquenta anos, ele abandonou o serviço ativo e só quis ocupar-se com as letras e a educação de seus filhos. Recolhido ao subúrbio de Saint-Jacques, ele supervisionava seus estudos como seu pai havia feito com ele. A ternura que lhe inspiravam iria levá-lo a escrever, em benefício do filho mais novo, estes "contos ao pé do fogo" que sua própria mãe lhe contara e que sem dúvida tinha tido oportunidade de ouvir mais de uma vez em seus frequentes passeios pelo campo, pois, segundo o costume dos honrados burgueses parisienses de sua época, ele passava longos períodos de férias em alguma aldeia de Ile-de-France ou da Picardia. "Não há dúvida", diz ainda Sainte-Beuve, "que Perrault deve ter extraído a matéria de seus contos da tradição oral popular e que ele só fez passar para o papel o que, desde tempos imemoriais, as vovós vêm contando aos netos. Mas sua redação é simples, fluente, de uma boa-fé ingênua, um tanto ou quanto maliciosa, porém, e livre; de tal forma que todo mundo repete suas palavras imaginando tê-las criado. Os leves conceitos morais em verso, no final, recendem bastante ao amigo de Quinault e contemporâneo gaulês de La Fontaine, mas só se sustentam por força das histórias, das quais marcam a época. Se eu ousasse voltar, a propósito desses contos infantis, à grande polêmica sobre antigos e modernos, diria que Perrault forneceu aí um bom argumento contra ele próprio, pois essas imaginativas e maravilhosas histórias infantis pertencem necessariamente a uma época muito antiga; não se poderia inventar hoje em dia essas coisas, se elas já não tivessem sido imaginadas há longo tempo, e elas não teriam difusão se já não tivessem sido aceitas e consideradas críveis muito antes de nós. O que fazemos é apenas variá-las e vesti-las com novas roupas".

Perrault morreu aos setenta e cinco anos. Nos seus últimos anos de uma vida tão ativa e bela, ele pôde ver expandir-se com extrema rapidez, e proliferar mesmo excessivamente, um gênero literário cuja glória, um pouco esquecida, ele havia feito renascer e para a qual criara modelos perfeitos. O sucesso de seus contos em prosa fez surgir uma multidão de imitadores, tanto ou mais quanto as fábulas de La Fontaine. Cansado de obras enfáticas e solenes, todo mundo encontrou um encanto infinito naqueles escritos, suficientemente breves para lembrarem jogos de espírito, mas suficientemente maliciosos para agradarem ao gosto da França inteira, inclinada a escarnecer à socapa da languescente prosápia do reino e da triste decrepitude da ordem social. Os contos eram a juventude, a alegria, a graça. Em todos os círculos intelectuais, as pessoas se empenhavam em elegantes emulações, tentando rimar as aventuras dos *novellieri* italianos, refazendo as histórias em verso dos trovadores. Perrault começou a imitar em verso uma novela de Boccaccio, originariamente francesa, que o nosso povo sempre preservara na memória e que fora incluída na coleção da *Biblioteca Azul* fazia muitos anos. Tratava-se de "*A Marquesa de Salusses,* ou *A Paciência de Griselidis*. Ele publicou esse livro em 1691, voltando a publicá-lo em 1694 juntamente com dois outros contos em verso: *Pele de Asno* e *Ridículos Anseios*. Se ele tivesse persistido nesse gênero de redação, sua obra provavelmente não teria sobrevivido; não que seus versos não possam ser lidos, mas lhes falta precisão e estilo. Ele encontrou sua veia quando passou a redigir em prosa estas "histórias do tempo passado", o que ocorreu muito mais cedo do que comumente se acredita. O costume, na época, era incluir cópias manuscritas das histórias nos fascículos de literatura ligeira antes de imprimi-las; um desses fascículos fez sucesso e uma das cópias assim difundida chegou à Holanda, onde foi incluída entre as coleções que as livrarias de Haia ou Amsterdã organizavam um pouco aleatoriamente. Quis a sorte que fizessem parte de uma *Coletânea de peças curiosas e inéditas*, iniciada por Adrien Moetjens em Haia, a partir de 1694, todos os contos de Perrault editados por Barbin depois de terem tido sua primeira divulgação fora da França. E é bem provável que a publicação feita por Moetjens não seja a mais antiga. Uma vez que se perderam muitos livros desse gênero, a bibliografia a esse respeito está longe de informar com precisão as datas de sua publicação e mesmo algumas questões relativas à paternidade literária das obras. Assim, o costume é atribuir a redação em prosa do conto Pele de Asno a Mademoiselle Bernard, autora de tragédias e outras obras; essa crença se baseia no fato de se achar o conto inserido num romance publicado por essa dama em 1696 intitulado *Inês de Castro*. É preciso não esquecer, entretanto, que ela era amiga de Perrault e que, segundo o costume das livrarias e dos autores, no século XVII, nada era mais comum do que colocar o nome de um escritor numa obra que deveria ter sido assinada por outro. Essas confusões tanto significavam plágio como uma apropriação amigável. O fato é que o estilo da segunda versão de *Pele de Asno* se ajusta tão perfeitamente à maneira de Perrault escrever que, na nossa opinião, ela deve ser atribuída a ele. Depois de ter composto o conto em verso, Perrault — achamos nós — reescreveu-o ele próprio em prosa, ou pelo menos retocou com grande benevolência o apêndice inserido no romance de Inês.

Seja como for, o volume de prosa ratificado pelo brilhante escritor, e que reedita a publicação feita pelo livreiro Moetjens em 1696, traz no título a seguinte indicação:

"Contos da Carochinha — histórias ou contos do tempo passado, com ensinamentos morais; Paris, livraria de Claude Barbin, segundo patamar da Capela Santa do Palácio, com a permissão de Sua Majestade. MDCXCVII".

A obra contém *Chapeuzinho Vermelho, Barba-Azul, Mestre Gato* ou *O Gato de Botas, As Fadas, Cinderela* ou *O Sapatinho de Vidro, Riquet o Topetudo* e *O Pequeno Polegar*.

Esse antigo livrinho tornou-se uma extrema raridade.

Era vendido a 120 francos por volta de 1845. Em 1864, pagava-se por ele 1.000 francos e até mesmo 1.500.

Mal essa coletânea veio à luz, e já por toda parte surgiam imitações de Perrault. Os bibliógrafos já citam, desde 1698, os *Contos menos contos que os outros, incomparáveis, e a Rainha das Fadas*, do senhor de Preschac; logo em seguida vêm Mme. de Muralt, Mme. d'Aulnoy, Mlle. de La Force, Mme. d'Auneuil, Mlle. Lhéritier, mais tarde Hamilton. Em 1704, Galland começou a publicar sua tradução das *Mil e uma Noites*, de fundo oriental, sem dúvida, mas que pelo espírito e o estilo denotam a influência de Perrault, amigo de Galland; todos os dois se achavam ligados a Colbert.

A glória tão risonha e plácida do escritor dos *Contos* provocou (quem o diria?) cóleras violentas. Inúmeras e eruditas pessoas tomaram da pena para provar, apoiadas em copiosas citações, induções e insinuações, aquilo que o próprio título dado por Perrault ao seu livro declara candidamente, ou seja, "que ele não era o inventor dos temas de seus contos". Ora, claro que não! É evidente que Perrault não pretende mostrar uma originalidade absoluta, e as aventuras que narra são tiradas de fontes encontradas no mundo inteiro, as quais ele teve a inteligência de explorar. É nas narrativas do povo, nas epopeias rústicas contadas pelas amas que ele foi buscar sua inspiração primeira. Ele soube ouvir e memorizar. Isso é pouco? Soube selecionar e, de uma forma apurada, com elegância e mão leve, compor e embelezar os textos. Outros, antes dele, escreveram o que lhes ditavam os narradores populares, e essas narrativas Perrault as conhecia, já as tendo lido em livros italianos e franceses. Mas quem soube dizê-las melhor do que ele? Os italianos se vangloriam, com razão, de seu Straparole e de seu Giambattista Basile, autor do *Pentamerone* — todos os dois predecessores de nosso Perrault; o segundo, principalmente, no seu dialeto napolitano, é cheio de verve, reproduzindo, de mistura com sua própria jocosidade, as fantásticas histórias em que Nápoles, a cidade dos contos chistosos, junta as lendas da Ásia às da Europa. Os traços de orientalismo são uma constante no *Pentamerone*. Nós mesmos não poderíamos citar nossos antigos autores? Nossa velha literatura, tanto a manuscrita quanto a impressa em livros, é fértil em narrativas fantásticas. Desde que passou a existir um povo sobre o nosso solo, surgiram os contos da carochinha. A Gália se divertia com eles, e tanto nas choupanas dos plebeus quanto nos castelos da Idade Média, a arte de narrar e o prazer de ouvir eram na França o encanto das horas de lazer:

"Oh, feliz era o tempo dessas fábulas,
Dos bons demônios, dos espíritos familiares,
Dos duendes, que aos mortais acudiam!
Ouviam-se todos esses eventos formidáveis
No castelo, ao pé de um bom fogo.
O pai e o tio, a mãe e a filha,
Os vizinhos e toda a família
Eram só ouvidos enquanto o mendicante
Desfiava seus contos de feitiçaria".

Pelos serões campesinos e os serões senhoriais desfilavam historietas das mais variadas procedências. Um dia era um conto plebeu que constituía o entretenimento no salão feudal; outro dia, um soldado ou um escudeiro qualquer repetia à sua moda para os seus ouvintes — camponeses ou burgueses — as aventuras reais ou imaginárias que eram narradas à mesa ou diante da vasta lareira senhorial. Os conventos, igualmente, tinham suas lendas edificantes. O tema das narrativas era às vezes tão antigo quanto a primeira ocupação da terra; e às vezes ainda mais antigo, tendo sido trazido muitos séculos antes de uma terra estrangeira e passado por algumas metamorfoses, o que, entretanto, não impedia de se identificar nele, então, o tema original.

Um mesmo personagem aparece constantemente nessa tradição indefinida, sob nomes diversos e progressivas alterações. Assim, como sagazmente observou Victor Hugo (*William Shakespeare*, p. 374), "Prometeu, criador de homens e criador de espíritos, é pai de uma dinastia de Divindades, cuja filiação é mencionada nas antigas trovas: Elfo, que significa Veloz, filho de Prometeu; depois Elfin, rei da Índia; depois Elfinan, fundador de Cleópolis, cidade das fadas; depois Elfilin, construtor da muralha de ouro; depois Elfinell, vencedor da batalha contra os demônios; depois Elfant, que construiu o Panteon, todo de cristal; depois Elfar, que matou o Bicéfalo e o Tricéfalo; depois Elfinor, o Mago, uma espécie de Salmonée, que mandou construir sobre o mar uma ponte que reboava como o trovão, depois setecentos príncipes, depois Elficleos o Sábio, depois Elferon o Belo, depois Oberon, depois Mab. Fábula admirável que, dotada de um sentido profundo, liga o sideral ao microscópico, o infinitamente grande ao infinitamente pequeno".

Uma história era indígena, nascida da imaginação local; outra vinha de muito longe e fora transmitida fazia pouco tempo por um peregrino, um viajante, um soldado vindo da Alemanha, da Itália ou do Oriente. Nossos remotos ancestrais são representados comumente como se confinados à sua terra: as dificuldades das viagens, o retalhamento do país numa infinidade de pequenos feudos rivais hostis, as antipatias de raça, enfim, os obstáculos resultantes de uma grande diversidade de idiomas — nada disso impedia a divulgação das coisas do intelecto. Mas sucedia com a tradição, quase sempre oral, o que geralmente se vê: ela era naturalmente infiel e transformava sem o menor escrúpulo as histórias, ao passá-las adiante. Dispondo de uma ingênua liberdade com relação aos elementos que lhe eram dados, ela acrescentava, cortava, reordenava, e mais de um conto assim remodelado era exportado para outros lugares, onde as pessoas não viam nada de mais em lhe acrescentar mais algumas fantasias. Existem vários repertórios desses contos antigos recolhidos dentre as lendas populares de todos os países da Europa, através do trabalho dos estudiosos modernos. Dentre essas curiosas compilações, a mais apreciada é a que, na vizinha Alemanha, tanta fama trouxe aos irmãos Grimm (*Kinder-und Hausmärchen*, 6ª edição, Goettingen, 1850). Não compete a nós julgar esse admirável trabalho, no qual em breve iremos buscar preciosas indicações. Não obstante, por maior que tenha sido o cuidado dos eruditos pesquisadores ao procurarem recolher para a sua coletânea a versão mais pura, aquela que o povo poderia fornecer, eles acabaram cedendo, como acontece tão frequentemente, ao patriotismo. Ao transcreverem um conto, eles quase nunca se deram ao trabalho de indagar se o tema, ao invés de ter sido inventado na Alemanha ou de ter vindo do Oriente, não tinha tido sua origem na Itália ou na França. Quanto a nós, acreditamos que houve um intercâmbio nas histórias de fadas em toda a Europa e que, mesmo que não houvesse facilidade de penetração num determinado país em relação a outro, nenhum deles ficaria, por esse motivo, privado dos contos. Diríamos mesmo que as próprias histórias devem ter nascido em toda parte espontaneamente. Com efeito, o espírito humano tem, em todas as regiões, certas faculdades e certas tendências idênticas a todos. Em toda parte a razão percebe uma coisa e a imaginação inventa outra, sendo esta a contrapartida daquela. Em toda parte a experiência nos ensina que se deve levar em conta o espaço e o tempo, que o mundo real não é perfeito e que a ordem moral é rara nele; por outro lado, em toda parte a fantasia humana cria obstáculos naturais e os suprime mentalmente, ainda que uma sabedoria profunda, embora ingênua, ou uma poesia elevada, embora pouco refinada e pouco douta, se esforce por restabelecer a harmonia ideal ao banir como impossíveis o triunfo do vício e a opressão da virtude. O maravilhoso compensa, com uma candura imperturbável e universal, as lições corruptoras do fato real. Pelo menos, era assim que procedia o povo em suas inumeráveis fantasias, na Idade Média.

Um outro espírito, eu sei, se faz presente muitas vezes, embora não sempre, em alguns países do Oriente: na Índia, por exemplo, predomina a criação simbólica. As lendas, ali, ao invés de serem quase que exclusivamente moralistas ou satíricas, como entre nós, contêm várias alegorias relativas aos fenômenos da Natureza. Mas essa corrente do pensamento foi pouco compreendida pelos povos europeus. A sua mitologia não é tão grandiosa. Em troca, ela se ajusta melhor aos sentimentos e aspirações da vida social; seu objetivo é, primeiro, divertir o espírito, depois incutir-lhe o amor do bem e da justiça. Nossos antigos contos familiares têm esse duplo propósito: divertir e consolar. É esse o seu ofício, nisso está a sua beleza, a sua utilidade prática, a razão de sua permanente popularidade. Não estou pretendendo dizer que todos eles encerrem um sermão acabado, que todos provem com precisão uma verdade incontestável. É inegável, porém, que não existe nenhum deles que não contenha ora uma ironia, ora a engenhosa defesa de um princípio, ora um apelo dos fracos à justiça eterna, ora, enfim, uma advertência caridosa aos imprudentes prestes a se tresmalharem. Muito raramente o terror é usado pelo simples prazer de incluí-lo na história; no mais das vezes, ele é um recurso preparatório, uma crise, de onde a honestidade deverá emergir vitoriosa e vingada.

Por mais longe que possa remontar a nossa história literária, ela sempre mostrará o conto francês marcado pelas características que encontramos em Perrault, e será infinita a lista dos escritores que, até a época dele, se divertiram em recontar as lendas populares. Nenhum antes dele, entretanto, conseguiu tornar-se um clássico. Essa honra lhe pertence exclusivamente. Seria isso devido à invenção? Absolutamente; ele não inventa nada a não ser os detalhes. Os volteios do seu pensamento são sua única originalidade. De resto, ele se serve de todas as fontes, à semelhança mesmo dos contadores de histórias mais humildes, mais indiferentes a qualquer pretensão literária; e assim como eles, Perrault não tem a menor preocupação em verificar de onde lhe vêm os floreios que introduz em sua fábula. Uma multidão de lembranças lhe vem à cabeça; ele as acolhe, faz a triagem e seleciona o que lhe agrada. Grego, romano, gaulês, tedesco, qualquer fragmento que convenha ao seu mosaico é aceito e encaixado no seu lugar. Se lhe perguntassem de onde teria vindo uma determinada pedrinha ou um fragmento qualquer do seu trabalho, ele não saberia dizer; e teria razão para esquecer.

Para nós, a questão é mais importante. O hábito moderno da análise e da comparação, que se aplica a todas as coisas, não tem objetivo mais natural do que o estudo das obras célebres da literatura. Todo autor eminente nos incita a servirmos a ele e aos seus propósitos, como comentadores, intérpretes e estudiosos de sua obra. À nossa curiosidade não basta que desfrutemos o seu valor, a sua arte; queremos saber todos os seus segredos e todas as formas como ele opera. Agrada-nos fazer, entre outras, esta pergunta: "Como se terá formado o conjunto de suas ideias? Como lhe ocorreram elas de repente? Qual a origem primeira que lhes deve ser atribuída?" Uma questão delicada em seu triplo aspecto, um campo aberto a todas as conjecturas! Mas nessas pesquisas onde faltam muitas vezes (como é o caso presente) provas positivas, há uma maneira de nos conduzirmos com uma certa segurança, a qual consiste em nos mantermos firmemente apoiados naquilo que é mais corriqueiramente verossímil. Dessa forma, se nos extraviarmos, teremos pelo menos a certeza de que não vamos ser censurados senão por aqueles que têm por hábito estabelecer sistemas e métodos, pelos construtores de hipóteses perigosas, já suspeitos pela própria temeridade de suas ideias preconcebidas.

Com relação a Perrault, o que parece provável é o seguinte:

Seja diretamente, seja através de intermediários, ele adquiriu traquejo como contador de histórias em serões feitos na aldeia, um costume antigo mas ainda em voga no seu tempo, do qual temos uma descrição no capítulo V de um livro do século XVI, *Conceitos rústicos e faceciosos*, cujo autor se escondia sob o pseudônimo de Noel Du Fail. Diz o livro que, numa dessas reuniões noturnas, (em que se tagarelava a valer), um carpinteiro do lugar, o velho Robin, é-nos mostrado impondo silêncio e começando "o conto da Cegonha no tempo em que os bichos falavam, ou contando como a Raposa roubou o peixe, como ele fez com que o Lobo fosse vencido pelas lavandeiras quando o ensinou a pregar, como o Cão e o Gato foram para bem longe do Leão, rei dos animais: que fez do Asno o seu lugar-tenente e queria ser o rei de todos; contando também do Corvo que ao cantar perdeu o seu queijo, de Melusina, do Lobisomem, de "Couro d'Anette"; do Monge surrado; das fadas, com as quais ele muitas vezes conversava familiarmente, mesmo à noite ao passar pelo caminho da grota, e que ele via dançando à beira da fonte, junto à sorveira".

Vê-se que o bravo Robin tinha um rico repertório.

Pouca coisa se havia perdido no século XVII, e Perrault pôde encontrar aí um bom manancial. Ele próprio havia recolhido outras aventuras ao folhear os volumes de contos do século XVI, então comuns e hoje esquecidos, em sua maioria. Além do mais, ao longo de uma vida azafamada, em que ele entrou em contato com gente de todo tipo — franceses viajores ou sedentários, e mesmo estrangeiros em visita à França — Perrault ouviu e anotou inúmeras aventuras maravilhosas, plenas de superstições, de magias e de encantamentos. Para completar, tratava-se de um homem letrado, que havia lido as melhores narrativas poéticas ou lendárias dos gregos e dos latinos, tendo por meio dessas leituras adquirido o dom de narrar.

Dito isso, resta-nos mencionar alguns pormenores sobre cada um dos seus contos e mostrar os pontos de contato com outras histórias análogas às suas, sem nos preocuparmos excessivamente em descobrir se a semelhança provém de um desejo do próprio autor, de uma imitação consciente, de uma vaga lembrança, ou de uma influência indireta, inconsciente. Não deixa de ser igualmente digno de nota que, nas observações que virão a seguir, nós nos vejamos forçados a mencionar de novo, frequentemente, a coletânea dos irmãos Grimm e do Pentamerone. A frequente coincidência entre as maravilhosas aventuras de Perrault e as dessas duas obras é um fato que salta aos olhos. Como explicá-la? Observa-se que essa semelhança ocorre também, e também de maneira imperfeita, quando se faz uma comparação entre as lendas orientais e os contos alemães e os italianos do *Pentamerone*. Os problemas relativos a essas influências são do tipo que as pessoas apresentam, apontam as verossimilhanças, mas se abstém, prudentemente, de oferecer uma solução para eles. Afora algumas circunspectas induções, não há nada que nos sirva de guia. Já é mito — para nós, pelo menos — termos entrevisto e mencionado, como já fizemos anteriormente, que essa mistura ocorreu. Como terá ela acontecido, em que exato momento e por meio de que ação? As trevas são totais. Não restam senão os cegos e os *videntes*, em que talvez possamos confiar que saberão raciocinar com segurança sobre a questão.

DESEJOS RIDÍCULOS

Perrault redigiu em verso uma outra história, que não obteve nenhum sucesso. Acrescentar a esta edição o medíocre texto dos Desejos Ridículos seria desmerecê-la. Entretanto, nós lhe devemos aqui pelo menos uma menção, pois a divertida aventura que constitui o seu tema encerra o ciclo de nossos contos populares e é encontrada, mais ou menos modificada, em quase todos os povos do mundo. É fácil ver isso nas versões dadas por Grimm (t. III, p. 22 e seg.). No francês antigo, esse tema foi abordado muitas vezes, sendo que de uma forma muito grosseira numa fábula intitulada *Les Quatre Souhaits Saint-Martin*, e no século XV por Philippe de Vigneulles, num conto publicado por Michelant (*Athenoeum français*, 1853, p. 1137 e seg.). Em contraposição, a antiguidade nos transmitiu a história sob uma forma encantadora. Nas Metamorfoses, de Ovídio, encontra-se a lenda do rei Midas, que obteve o dom, maliciosamente dado por Baco, de transformar em ouro tudo aquilo em que punha a mão, deixando-o assim em risco de morrer de fome e sede. "Ele corta um galho de árvore com algumas folhas, e eis que passa a ter nas mãos um ramo de ouro; apanha uma pedra, e a pedra se torna amarela; toca num torrão de terra, e o torrão se transforma num lingote; recolhe espigas secas e se vê de posse de uma safra do precioso metal; se colhe uma maçã, supor-se-ia que a fruta tivesse sido dada pelas Hespérides; se apoia levemente as mãos sobre as portas de seu palácio, elas imediatamente reluzem sob seus dedos; se lava as mãos, a água que delas se escoa teria enganado Dânae.

"Em breve, seu coração já não é bastante vasto para conter a imensidade de suas esperanças: seu pensamento muda tudo em ouro. Enquanto ele se entrega ao júbilo, seus escravos preparam a mesa e a cobrem de iguarias e frutas. Mas, se ele pega um pão, sente-o endurecer; se leva à boca qualquer outro alimento, ele reluz entre seus dentes fatigados; se mistura a água ao vinho e bebe, um ouro fluido escorre de sua boca. Surpreso diante desse funesto prodígio, rico e pobre ao mesmo tempo, ele se queixa de tantos tesouros e abomina o que acabara de desejar. A abundância não mitiga a sua fome, uma sede atroz queima a sua garganta, e o ouro que ele desejou se transforma num tormento. "Perdoa, Baco", geme ele, erguendo para o céu as mãos que mudam tudo em ouro, "reconheço o meu erro; tem piedade de um infeliz que te suplica; afasta de mim esse brilho que é a minha desgraça!"

"Baco, o mais compassivo dos deuses, perdoa ao infortunado que se acusa; revoga o dom funesto e, receando que aquele ouro, tão desastradamente desejado, permaneça incorporado a ele, diz-lhe: 'vai ao rio próximo da cidade de Sardes; sobe a corrente que desce através da montanha, até chegar à sua nascente; mergulha em suas águas, enfia nelas a cabeça e lava ao mesmo tempo o teu erro e o teu corpo." Midas vai até a fonte e se banha nela; seu corpo se desfaz aí da faculdade de produzir ouro, a qual passa para as ondas do rio. E ainda hoje — tão fecundas foram essas primeiras sementes! — as terras circunvizinhas ficam cobertas de ouro quando as águas do rio baixam".

NOTA DO EDITOR FRANCÊS

O tipo de comentário histórico encerrado nas páginas precedentes constitui a principal novidade, o complemento necessário e curioso desta edição dos Contos de Perrault.

O leitor há de ter notado, sobretudo, que alguns trechos estrangeiros foram traduzidos por um ilustre filólogo, cuja competência mostra, por si mesma, tratar-se de um mestre excepcionalmente hábil nesse tipo de trabalho. Além disso, ele pôs à nossa disposição o rico tesouro representado por suas anotações e suas relíquias. Versado, como é, na história literária da Europa medieval, ele nos ajudou inúmeras vezes com seus preciosos conselhos, sem mesmo exigir que seu nome fosse mencionado. Pelo contrário, ele quis que sua ajuda permanecesse no anonimato. Contudo, a excelência do material que nos forneceu basta para identificá-lo claramente. Sua modéstia não consegue encobri-lo; os leitores familiarizados com a ciência contemporânea reconhecerão a mão do autor que nos sustentou com sua erudição a um tempo tão extensa e tão especial.

Graças a ele, e graças também a outros, este livro se viu acrescido de variadas comparações, as quais, mesmo após a leitura dos Contos de Perrault, devem agradar ao espírito. É uma rápida viagem, instrutiva e divertida, dedicada à descoberta da literatura popular em todos os países, e que nos leva a amar mais ainda a nossa, com suas admiráveis narrativas, imbuídas de tanto encanto, bom senso e malícia.

CONFIRA NOSSOS
LANÇAMENTOS AQUI!

Camelot
EDITORA

CamelotEditora